HET ULTIEME
WOONBOEK

CREATIEVE INSPIRATIE & DESINGOPLOSSINGEN VOOR HET HELE HUIS

Samensteller
CLAY IDE

Stilist
PATRICK PRINTY

Redactie
SAMANTHA MOSS

KOSMOS

Kosmos Uitgevers, Utrecht/Antwerpen

KOSMOS

Oorspronkelijke titel: *Home*
© 2005 Weldon Owen Inc. en Pottery Barn
© 2008 Kosmos Uitgevers B.V., Utrecht/Antwerpen
Vertaling: Conny Sykora
Omslagontwerp: Teo van Gerwen Design
Typografie: Elgraphic + DTQP bv, Schiedam
ISBN 978 90 215 3259 2
NUR 454

Deze uitgave is met de grootst mogelijke zorgvuldigheid
samengesteld. Noch de maker, noch de uitgever stelt zich echter
aansprakelijk voor eventuele schade als gevolg van eventuele
onjuistheden en/of onvolledigheden in deze uitgave.

*Omdat de in het hoofdstuk 'Kleur' vanaf bladzijde 302 gebruikte
kleurstalen door technische en auteursrechtelijke aspecten mogelijk
niet exact overeenkomen met de in Nederland en België
gebruikelijke kleurstalen en deze bovendien per fabrikant
verschillen, heeft de uitgever ervoor gekozen de kleuraanduidingen
onder de kleurstalen niet te vertalen.*

Een huis dat gastvrijheid uitstraalt

Een huis zegt meer over zijn bewoners dan woorden. Dat komt misschien doordat wij in ons eigen huis vrij zijn om ons met favoriete kleuren, weefsels, voorwerpen en herinneringen te omringen. De afgelopen decennia heeft de overgang naar een meer ongedwongen manier van leven ook onze ideeën over wonen veranderd. In plaats van duidelijk afgebakende ruimtes, bestemd voor één activiteit, bestaat ons huis uit multifunctionele vertrekken die in elkaar overlopen. Dankzij nieuwe, weerbestendige materialen hebben we de woonruimte naar buiten toe uitgebreid met terrassen, veranda's en patio's die even comfortabel en in dezelfde stijl worden ingericht als de zitkamer. Onze badkamers zijn groter en vooral luxer geworden. Dankzij telecommunicatie is een werkplek in huis een normaal verschijnsel en de ontwikkeling van betaalbare nieuwe audiovisuele apparatuur heeft ervoor gezorgd dat steeds meer huizen een speciale 'mediaruimte' hebben. Maar bij al deze veranderingen blijft één principe overeind: mensen hebben hart voor hun huis.

Wij hebben dit boek samengesteld om de problemen die iedereen tegenkomt bij het inrichten van zijn huis op te lossen. Op de volgende pagina's vind je plattegronden, kleurstalen, een overzicht van materialen, en honderden eenvoudige ideeën waarmee het ontwerpen van je interieur een eenvoudige, spannende en inspirerende onderneming is. Gemakshalve hebben we het boek zo ingedeeld dat in elk hoofdstuk een bepaalde ruimte met activiteit aan bod komt. Maar hopelijk ontdek je dat een mooi huis meer is dan een verantwoord interieur. Het is de ultieme expressie van het karakter van jou en je huisgenoten.

Inhoud

JE HUIS

'MIJN HUIS IS EEN SPIEGEL

VAN MIJN PERSOONLIJKHEID.

HET OMRINGT ME MET DE

DINGEN WAAR IK HET MEEST

VAN HOUD EN VORMT

DE OMGEVING WAAR

NIEUWE HERINNERINGEN

Voor de meesten van ons begint en eindigt 'prettig leven' met de omgeving die we voor onszelf creëren en die we delen met vrienden. Onze moderne huizen verschillen in veel opzichten van het huis waarin we zijn opgegroeid. In de loop der jaren heeft er een verschuiving plaatsgevonden naar een meer informele stijl en is de nadruk komen liggen op individualiteit, persoonlijke expressie en een ontspannen sfeer. Er is niets tegen een chic interieur als je daarvan houdt, en voor mooie antieke voorwerpen is al-

HOE MAAK JE VAN JE HUIS
EEN THUIS

HET INRICHTEN VAN EEN GERIEFLIJK, GASTVRIJ HUIS DAT JE PERSOONLIJKHEID WEERSPIEGELT, IS EEN VAN DE LEUKSTE DINGEN IN HET LEVEN – EN EEN VAN DE MEEST BEVREDIGENDE.

tijd ruimte, maar de grootste luxe van het moderne leven is ongetwijfeld comfort, in alle betekenissen. Een huis is pas een thuis als het niet alleen mooi ingericht is, maar ook gastvrijheid en warmte uitstraalt. Tenslotte wil je niet alleen een schitterende nieuwe bank en een bijzondere kleur op de muur van de woonkamer, maar ook de zekerheid dat iedereen zich daar thuis voelt. De basiskenmerken van een uitnodigende ruimte zijn heel eenvoudig: een comfortabele, goed ontworpen zithoek die inspireert tot gezellig samenzijn, harmoniërende kleuren, verlichting die beantwoordt aan de behoefte en past bij de stemming, mooie voorwerpen om naar te kijken en aan te raken, en een rustgevende sfeer. Die principes gelden voor het hele huis, van complete luxe badkamers en hyperefficiënte werkruimtes tot gezellige buitenruimtes. Hoe die afzonderlijke elementen gecombineerd worden – door bij elkaar passende meubels en accessoires, contrasterende weefsels, het gebruik van kleur, verrassende details die een huis een eigen karakter geven – bepaal je helemaal zelf. Stijl is nooit afhankelijk van één bepaalde keus of een aantal vaste regels; het gaat juist om het creëren van een succesvol huwelijk tussen schoonheid en comfort. Stijl wordt bepaald door de leefwijze van de bewoners. Het is de som van alle onderdelen en mogelijkheden van een ruimte, zodanig ingericht dat er een eigen, coherent 'verhaal' ontstaat. Op deze bladzijden vind je fantasievolle interieurideeën waarmee je overal in huis je eigen verhaal kunt vertellen. Met advies van een ervaren binnenhuisarchitect kun je op allerlei punten van de regels afwijken en gedurfde keuzes maken. Maar om een comfortabel huis te creë-

INRICHTEN IS NIET EEN STIJL IMITEREN, MAAR JE PERSOONLIJKE STIJL TONEN.

ren is professionele hulp absoluut niet noodzakelijk. Je moet alleen weten wat je mooi vindt en vol vertrouwen te werk gaan. De beste manier om je eigen stijl te ontdekken is het doorbladeren van woontijdschriften, boeken en catalogi. Kijk goed wat je aanspreekt; het maakt niet uit of dat een compleet interieur is of een idee voor raamdecoratie. Knip foto's met kleuren, dessins of vormen die je mooi vindt uit. Die knipsels kunnen gebaseerd zijn op ongrijpbare elementen – een bepaalde belichting, de vorm of

het formaat van een ruimte, een warme atmosfeer of een beeld dat bepaalde herinneringen oproept. Verzamel behalve foto's ook verfstalen en monsters van stoffen die je mooi vindt. Berg alles op in een mapje en blijf knipsels verzamelen totdat je dertig of veertig ideeën hebt. Spreid dan de hele inhoud van het mapje uit op tafel en bekijk de oogst. Overheerst warm hout of juist roestvrij staal? Vertonen de ruimtes uitbundige kleuren of heb je juist een voorkeur voor allerlei tinten wit? Heb je vooral ruime,

ECHTE LUXE HEEFT TE MAKEN MET COMFORT EN ZICH ERGENS THUIS VOELEN.

lichte en spaarzaam gemeubileerde interieurs uitgeknipt of intieme kamers met veel snuisterijen? Je zult zien dat er een patroon zit in je keuzes en je krijgt zo een beter idee van je werkelijke voorkeuren. De rest is een kwestie van die smaak realiseren binnen je budget en in je eigen huis.

Het maakt niet uit of het gaat om het inrichten van een klein appartement of van een huis met tien kamers; kies allereerst een globaal kleurenpalet en trek dat consequent door in verf, textiel en meubels, waardoor je hele huis een bepaalde stijl uitstraalt. Inrichten is een langetermijnproces dat nooit klaar is, daarom kun je het best uitgaan van een totaalplan zodat aangrenzende ruimtes geleidelijk in elkaar overlopen. Het denken vanuit een totaalplan voor het hele huis moet je niet opvatten als een beperking. Je kunt nog steeds experimenteren met sfeer – in sommige ruimten

wat formeler, in andere wat speelser. Zelfs als je later iets anders wilt, is het nuttig om in deze eerste fase een kleurschema voor het hele huis te bepalen. Het geeft houvast en je voorkomt dat door de bomen het bos niet meer ziet. In het hoofdstuk over kleur (pagina 302) vind je advies voor het kiezen van een kleurschema dat gegarandeerd harmonieus in alle ruimtes van je huis toe te passen is. Als je een-

maal weet naar welke stijl en kleur je voorkeur uitgaat, neem je één ruimte tegelijk onder handen. Door je op één ruimte te concentreren zie je sneller resultaat en is het effect bevredigender dan wanneer je overal tegelijk aan begint. Met dit stap-voor-stapprincipe kun je de keus voor een bepaalde stijl verder verfijnen naarmate het interieur meer vorm krijgt.

ANDEREN LATEN ZIEN WELKE VOORWERPEN EN HERINNERINGEN VOOR JOU BELANGRIJK ZIJN, IS DE BESTE EXPRESSIE VAN JE EIGEN STIJL.

Als je besloten hebt welke ruimte opgeknapt gaat worden, teken je een plattegrond om je ideeën op papier te zetten. Door het hele boek heen vind je praktische aanwijzingen voor een goed interieurplan dat alle elementen op een succesvolle manier combineert. Begin met het intekenen van zithoeken en plekken voor activiteiten als bureauwerk of televisiekijken. Bekijk de looprichtingen en plaats de meubels zo dat ze de bewegingsvrijheid niet belemmeren. Maak een lijstje van het aantal benodigde lichtpunten en bepaal waar sfeerverlichting, accentverlichting en werklicht nodig is. Vervolgens wordt het tijd om na te denken over de raamdecoratie: informeel of klassiek, simpele rolgordijnen of fluwelen overgordijnen. Als het basisplan klaar is, voeg je meubels en accessoires toe die qua stijl en kleur binnen het geheel passen. Streef naar een evenwicht

JE HUIS IS EEN ORGANISCH, LEVEND GEHEEL. HET GROEIT EN VERANDERT MET JE MEE.

tussen degelijke langetermijninvesteringen en betaalbare uitspattingen. Een interieur verandert op slag door te spelen met nieuwe kleuren van het seizoen of modieuze nieuwe dessins, maar dat kan uitstekend met kussenovertrekken, een foulard of andere accessoires: je hoeft niet allemaal nieuwe meubels aan te schaffen. Op die manier wordt het verlangen naar iets nieuws bevredigd, terwijl de keuzes voor de lange termijn gehandhaafd blijven. Kies bij het investeren in basismeubels voor kwaliteit, comfort en een tijdloos ontwerp. Designmodes komen en gaan en interieurs ontwikkelen zich in de loop der jaren. Maar de behoefte aan comfort blijft, net als het natuurlijke verlangen dat mensen zich op hun gemak voelen. Bedenk dat je geen toonkamer aan het inrichten bent maar een omgeving die bij je leefstijl past. Je gasten het gevoel geven dat ze welkom zijn heeft minder te maken met het ontwerp van de stoelen dan met de warmte van je gastvrijheid.

SAMENZIJN

'IK WIL EEN UITNODIGENDE ZITKAMER, EEN RUIMTE DIE MIJN STIJL EN ERVARINGEN WEERSPIEGELT, WAAR IEDEREEN ZICH ZO THUIS VOELT DAT HIJ ER NOOIT MEER WEG WIL.'

LEEFRUIMTE

Een leefruimte is precies wat het woord suggereert: een ruimte waar geleefd wordt. Het is de plaats waar we een groot deel van onze tijd binnenshuis doorbrengen – en die we met veel zorg inrichten. Maar ook in de rest van het huis wordt geleefd en wat je leert bij het inrichten van de zitkamer, is van toepassing op alle ruimtes in huis. Je woonkamer zet in veel opzichten de toon voor het hele huis, en daarom is het van belang te beseffen hoe hij de inrichting van de aangrenzende ruimtes beïnvloedt en inspireert, inclusief de buitenruimte. In dit hoofdstuk vind je ideeën die het wonen in alle ruimtes van het huis aangenamer maken.

Het ontwerpen van een woonkamer

Voor een geslaagde inrichting van een ruimte is het van essentieel belang om vanaf het begin duidelijk voor ogen te hebben wat je met die ruimte wilt. Let daarbij zowel op functionaliteit als op stijl.

Zowel voor het compleet opnieuw inrichten van een kamer als voor het opknappen ervan is het verstandig om eerst een compleet interieurplan te maken alvorens nieuwe kleuren en meubels te kiezen. Teken een plattegrond op schaal en geef daarin ook aan waar de meubels komen te staan. Begin met grote stukken zoals een bank, fauteuils en kasten. Die basiselementen bepalen of er extra meubels nodig zijn en hoe de meubels die je al hebt in te passen zijn. Bepaal vervolgens de loopruimte eromheen. Om vrij te kunnen bewegen heb je looproomte van 90-120

centimeter breed nodig. Laat tussen salontafel en bank minstens 45 centimeter ruimte open, en tussen andere meubelstukken 60 centimeter.

Ga na hoe de kamer wordt gebruikt en welke extra meubels er nodig zijn – bijzettafeltjes, poefs, opbergruimte, extra stoelen enzovoort. Wil je een chique of juist een wat meer ongedwongen inrichting? Wordt de ruimte vooral gebruikt om televisie te kijken en naar muziek te luisteren of ontvang je graag mensen en heb je vooral gezellige zitjes nodig? Kies bij voorkeur extra meubels die de functionaliteit van de ruimte vergroten, zoals een opbergkast tegen de muur of een zijtafel die tijdens feestjes tevens als buffet kan dienen. Denk pas na over vloerkleden als alle meubels op hun plaats staan. Om een zithoek af te bakenen moet het kleed zo groot zijn dat alle meubels erop passen. Als dat niet kan, neem je een kleed dat net iets groter is dan de salontafel.

OPEN WOONKAMER

Deze open woonkamer (hierboven en vorige pagina) heeft een afzonderlijk zit- en eetgedeelte, op een subtiele manier van elkaar gescheiden met behoud van voldoende looproomte.

■ EEN U-VORMIGE ZITGROEP biedt plaats aan een maximaal aantal mensen.

■ EEN SCHEIDING tussen zithoek en eettafel wordt gevormd door de achterkant van de bank.

■ DE ZITHOEK is nog duidelijker afgebakend door een groot kleed, terwijl de houten vloer in het eetgedeelte zichtbaar blijft.

■ EEN VRIJE DOORGANG naar andere kamers en naar buiten is mogelijk door 'vrijstaande' – dus niet tegen de muur geplaatste – meubels in het midden van de beide gedeelten.

■ KLEINERE EXTRA STOELEN kunnen zo nodig voor meer zitruimte zorgen.

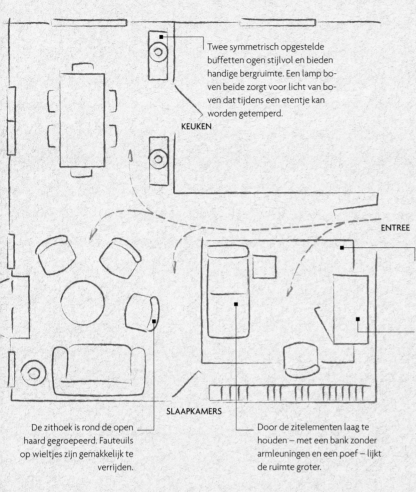

Twee symmetrisch opgestelde buffetten ogen stijlvol en bieden handige bergruimte. Een lamp boven beide zorgt voor licht van boven dat tijdens een etentje kan worden getemperd.

KEUKEN

ENTREE

SLAAPKAMERS

De zithoek is rond de open haard gegroepeerd. Fauteuils op wieltjes zijn gemakkelijk te verrijden.

Door de zitelementen laag te houden – met een bank zonder armleuningen en een poef – lijkt de ruimte groter.

L-VORMIGE KAMER

Deze L-vormige kamer telt drie verschillende gedeelten – om televisie te kijken, met elkaar te praten en te eten. Hoewel elk gedeelte afzonderlijk functioneert, zijn de delen zo ingericht dat ze allemaal zicht bieden op de hele woonkamer.

Een vloerkleed accentueert de televisieruimte. Doordat het naar één kant is geschoven, ontstaat er een soort gang naar de overige gedeelten.

Een grote kast biedt ruimte aan audiovisuele apparatuur en vormt een centraal punt in de lees- en televisiehoek.

STANDAARDBANKEN

De beste banken bieden de mogelijkheid met nieuwe accenten een kamer een ander aanzien te geven. Zoek een bank in een neutrale kleur en geef voorrang aan comfort bij het kiezen van een bepaalde stijl.

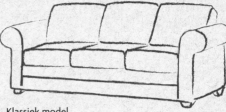

Klassiek model
Een tijdloos model overleeft trendy ontwerpen, zodat je van een bank tientallen jaren plezier kunt hebben.

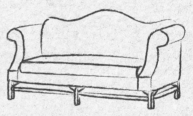

Ouderwetse sofa
Sofa's zien er aantrekkelijk uit, maar een gladde rug zit minder lekker dan de moderne banken met dikke kussens.

Losse zitelementen
Deze zijn erg veelzijdig. Afhankelijk van de beschikbare ruimte kun je elementen toevoegen, weghalen of anders opstellen, al naargelang je wensen of behoeften.

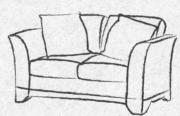

Tweezitsbanken
Kleinere meubels zijn praktisch in een beperkte ruimte, dus ook voor de entree, een grote hal of een slaapkamer.

ENTREE

Een paar lichte stoelen zijn in een handomdraai bijgeschoven tijdens een feestje.

af de deur lopen de gas n om de tweezitsbank in het midden heen.

ettafel achter een twee ankje dient normaal als table om dierbare voor rpen uit te stallen, maar rden gebruikt voor een eimproviseerde maaltijd rond het vuur.

Een klein bureau kan tijdens feestjes dienstdoen als bar.

KEUKEN

GASTEN ONTVANGEN

Als je vaak gasten ontvangt, is het handig om behalve een bank een paar niet al te zware stoelen neer te zetten, die gemakkelijk te verplaatsen zijn, en een paar bijzettafeltjes waar de gasten hun drankjes en hapjes op kwijt kunnen.

Decoratieve lampen (aangegeven door cirkels op tafels en vloer) vormen 's avonds een driehoek van intiem licht.

Door twee bij elkaar passende tweezitsbankjes in een rechte hoek ten opzichte van elkaar te zetten creëer je twee afzonderlijke zitjes voor een feestje.

Een groot vloerkleed is het mooist als het 45 tot 60 centimeter van de wand af ligt. De meubels langs de rand kunnen gedeeltelijk op de onbedekte vloer staan.

Het ontvangen van familie en vrienden is een van de prettigste dingen in het leven. Het maakt niet uit of je je dierbaren om je heen verzamelt of nieuwe en oude vrienden uitnodigt, de hoofdzaak is dat iedereen zich thuis voelt in je zitkamer. Dat begint met een gezellige zithoek. De inrichting van een ruimte bepaalt of en hoe mensen elkaar kunnen ontmoeten, dus houd rekening met grote en kleine gezelschappen door te zorgen voor voldoende mogelijkheden om met elkaar te praten. Na-

HET ONTVANGEN
VAN FAMILIE EN VRIENDEN

IN EEN PRETTIGE ZITKAMER VOELT IEDEREEN ZICH OP ZIJN GEMAK; UITGANGSPUNT IS EEN COMFORTABELE ZITHOEK DIE UITNODIGT TOT SPONTANE GEDACHTEWISSELINGEN.

tuurlijk weten onbekenden elkaar soms dwars door een overvolle ruimte toch te vinden, maar de meesten van ons vinden wat minder afstand prettiger. Oogcontact is belangrijk en dat moet weinig moeite kosten, vanuit een paar naast elkaar staande stoelen of in een grotere kring. De opstelling van de zithoek moet logisch zijn, dus zoek een natuurlijk middelpunt. Als er een open haard is, schik je daar 's winters de zitgroep omheen; 's zomers vormen grote ramen die uitkijken op de tuin of een vijver een perfect middelpunt. Zorg dat er ruimte is voor extra stoelen, voldoende mogelijkheid om glazen neer te zetten en een groot aantal kussens voor extra comfort.

Ruimte om een feestje te geven

In een ruimte waarin feestjes worden gegeven, bieden meerdere afzonderlijke zitjes gelegenheid om in kleine kring van gedachten te wisselen.

Voor een geslaagd feest is het belangrijk dat mensen zich vrij door de ruimte kunnen bewegen. Verdeel een grote, ongedeelde woonkamer in een aantal kleinere, intiemere zithoeken als de ruimte dat toelaat. Gasten kunnen dan kiezen in welke kring ze willen gaan zitten en gezinsleden kunnen in een en dezelfde ruimte tegelijkertijd met verschillende dingen bezig zijn. Haal voor een feest overbodige meubelstukken uit de kamer zodat er meer ruimte komt en zorg voor extra zitgelegenheid in de vorm van lichte, losse stoeltjes zodat de gasten zich gemakkelijk van het ene groepje naar het andere kunnen verplaatsen. Zet in een kleinere kamer krukjes neer of leg kussens op de vloer om op te zitten.

HET GEHEIM VAN DEZE RUIMTE

Door in deze ruime woonkamer drie afzonderlijke gedeeltes te creëren is hij geschikt voor zowel het dagelijkse gezinsleven als feestjes met een groot aantal gasten.

■ EEN GROTE, OPEN RUIMTE is uitnodigend voor een grote groep en stimuleert tot contact en uitwisseling.

■ MEERDERE ZITMOGELIJKHEDEN vergroten de mogelijkheid om te praten. De open haard wordt geflankeerd door twee tegenover elkaar staande banken, rond de salontafel staan vier comfortabele fauteuils en in een nis vormt een divan een plek voor een rustig gesprek.

■ DE WITTE BEKLEDING VAN DE MEUBELS verbindt de verschillende woongedeelten en schept een sfeer van rust.

■ INFORMELE HOUTEN STOELEN in verschillende vormen geven een speels accent en zijn eenvoudig te verplaatsen.

■ VLOERKLEDEN IN EEN NEUTRALE KLEUR bakenen de voornaamste zitgroepen af zonder afbreuk te doen aan het idee van eenheid dat de honingkleurige grenen vloer schept.

HET ONTVANGEN VAN FAMILIE EN VRIENDEN

Klassiek comfort

Maak een traditioneel ingerichte kamer spannender door klassiek en modern te combineren, en let bij het aanbrengen van accenten bewust op comfort en minder op hoe het hoort.

De standaard zithoek bestaande uit bank, salontafel en twee fauteuils rond een open haard is niet voor niets zo populair. Het is een optimale benutting van de ruimte, die mensen op hun gemak stelt en die in een eindeloze variatie aan stijlen kan worden gerealiseerd. Met bijzondere kleuren, meubels en accessoires kun je toch het klassieke stramien volgen en een modern effect creëren waardoor zelfs de meest traditionele kamers spannender worden door de onverwachte combinatie van oud en nieuw.

Voor een wat nonchalantere sfeer in een traditioneel ingerichte kamer ga je uit van meubels die even goed zitten als ze eruitzien, met bekleding die weinig onderhoud vraagt en waarin je een flink aantal losse kussens legt. Maak gebruik van meubels met een doorleefd of antiek uiterlijk waaruit blijkt dat er in je kamer geleefd wordt. Kies voor een ongedwongen, lichte raamdecoratie – katoenen zonwering of canvas rolgordijnen in plaats van zware overgordijnen bijvoorbeeld – of laat de ramen helemaal vrij en hang alleen dunne vitrage op voor een lichte, luchtige sfeer.

Flexibele zithoek

Kies voor de zithoek meubels waarvan de opstelling afhankelijk van het seizoen of bij speciale gelegenheden
veranderd kan worden. Een bank die uit losse zitelementen bestaat is ideaal, maar je kunt hetzelfde principe
toepassen bij andere meubels. Een kleinere bank biedt
meer mogelijkheden voor een andere opstelling dan een
grote; bij elkaar passende fauteuils zijn beter naast elkaar
of rond een tafel te plaatsen dan twee volstrekt verschillende. Lage bankjes zonder leuning en poefs zijn heel
geschikt voor een dubbelrol — als stijlvolle salontafel of
als extra zitplaats.

In de zomerse opstelling,
hierboven, staat de bank zo
dat je vanaf daar de tuin in
kijkt; de zitgroep is niet
rond de open haard
gerangschikt. In herfst en
winter (rechts) worden
stoelen en bank in een
handomdraai zo gezet dat
alle aandacht uitgaat naar
de brandende haard.

Een viertal stoelen, *links,*
fungeert als intieme variatie op de klassieke opstelling van twee banken
tegenover elkaar. Deze
opstelling is ideaal voor
een avondje spelletjes
doen of voor een gezellig
gesprek.

ZO DOE JE DAT: HET COMBINEREN VAN LOSSE ZITELEMENTEN

Losse zitelementen vormen een veelzijdig systeem dat veel minder ruimte inneemt dan een combinatie van stoelen en banken. Het ontbreken van armleuningen draagt bij aan een gevoel van openheid. De systemen worden meestal verkocht in eenheden (hoekelementen plus stoelen zonder of met één armleuning, chaises longues en sofa's) zodat je het op maat kunt samenstellen. Elementen zonder armleuningen bieden de meeste mogelijkheden.

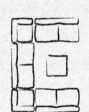

Een U-vormige opstelling biedt de meeste zitplaatsen maar vraagt door zijn grootte ook om een forse poef als tafel in plaats van een fragiele salontafel; laat 45 cm beenruimte vrij.

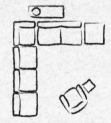

Een hoekarrangement van enkele even grote elementen wordt in balans gebracht met een grote leunstoel. In plaats van een salontafel kun je denken aan een sidetable achter een of beide 'poten' van de hoek.

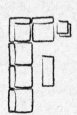

Een L-vormige opstelling wordt gecompleteerd door een langwerpige salontafel. In een kleine kamer vormt een aantal onder elkaar passende bijzettafeltjes een praktisch alternatief voor een salontafel.

Open haarden

Mensen hebben iets met vuur en een open haard is een van de meest uitnodigende plekken in huis. Dankzij het visuele effect is een open haard bovendien vaak het belangrijkste structuurelement in een kamer. Omdat een open haard de ruimte meestal domineert, kunnen zelfs kleine aanpassingen van de schouw, de ombouw of de vuurplaats zelf van grote invloed zijn.

Als de bestaande open haard niet voldoet, is dat geen ramp. Dikwijls kan het buitenaanzien verbeterd worden zonder dat de stookplaats zelf of de schoorsteen moet worden aangepast (zie onder); dat laatste is veel ingrijpender. In het ideale geval past een open haard qua stijl en formaat bij de vorm van de kamer en nodigt hij uit tot zitten rond het vuur. Bedenk of je een diepe of een ondiepe schouw wilt, een gekleurde achterwand van tegels of steen of minder opvallend materiaal. Luxe materialen als marmer en graniet geven een open haard een voorname uitstraling en omdat ze toegepast worden op een klein oppervlak bereik je met relatief weinig kosten een groots effect.

Een Rumfordopenhaard, *rechts*, is een achttiende-eeuws ontwerp met een hoog rookkanaal en een ondiepe stookplaats waardoor de warmte de kamer in komt. Een dergelijke hoge, verticale vuurhaard past in kamers met een hoog plafond.

ZO DOE JE DAT: MODERNISEREN VAN DE OPEN HAARD

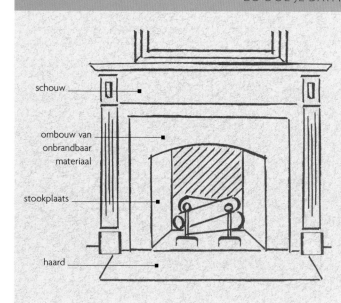

schouw

ombouw van onbrandbaar materiaal

stookplaats

haard

Als je opgezadeld bent met een lelijke of slecht functionerende open haard, zoek dan eerst naar mogelijkheden om het uiterlijk te moderniseren. Verschillende tussenoplossingen, van schilderen of opnieuw bekleden tot het volledig vernieuwen van de schouw, kunnen het aanzien van een oude open haard verbeteren voor een fractie van de prijs van een volledige vervanging. De materialen die hier staan genoemd, zijn bij de meeste leveranciers van open haarden en restauratiebedrijven te koop.

Afhankelijk van je handigheid kan het verstandiger zijn om een timmerman of tegelzetter te vragen om het werk te doen in plaats van zelf aan de slag te gaan. Reparaties aan het rookkanaal moeten altijd door een vakman worden uitgevoerd.

■ SPECIALE SCHOONMAAKMIDDELEN voor open haarden en steen verwijderen roet en rookvlekken.

■ EEN NIEUW VERFJE is de snelste en goedkoopste manier om bakstenen open haarden die hun beste tijd hebben gehad er als nieuw te laten uitzien.

■ NIEUWE SCHOUWEN zijn er in allerlei stijlen, van marmer of travertin op maat tot kant-en-klare onderdelen van hout, steen en baksteen die alleen maar gemonteerd hoeven te worden of zelfs ijzeren modellen. De meeste wooncentra en sloopbedrijven verkopen allerlei modellen, ook reproducties van antieke exemplaren.

■ VERVANGING VAN EEN OMBOUW van natuursteen of keramische tegels of plavuizen is meestal mogelijk door over het bestaande oppervlak heen te tegelen. Ook stucwerk is een optie.

Open haard in de hoek

In een kamer met weinig wandruimte is een open haard in een hoek een goede oplossing, die elke ruimte gezelliger maakt. Een zithoek gericht naar een open haard in de hoek is weer eens iets heel anders en banken aan weerszijden verhogen het uitnodigende karakter.

Traditioneel hout

Houten schouwen werden vroeger gemaakt in de stijl van het huis en dat is nog steeds een goed uitgangspunt als je denkt aan renovatie. Met het grote aanbod aan tweedehands schouwen en reproducties in ambachtelijke, federalistische, victoriaanse of Amerikaanse countrystijl en allerlei andere stijlen vind je zonder moeite een schouw die past bij het karakter van je huis.

Strakke schouw

Een smalle of strakke schouw is ideaal in een kleine ruimte. Deze ranke schouw van namaaksteen vormt een fraaie blikvanger zonder opdringerig te zijn of te veel ruimte in te nemen. Hij steekt precies ver genoeg uit om de stookplaats te omlijsten en plaats te bieden aan het schilderij op de rand.

Verhoogde stookplaats

In een haard waarvan de stookplaats zich ongeveer 45 cm boven de vloer bevindt is het vuur beter te zien vanuit de hele kamer. Het maakt ook het aansteken en bijhouden van het vuur gemakkelijker. De haard kan naar beide kanten worden uitgebreid met een lage bank om naast het vuur te zitten.

Antiek steen

Deze kleine ijzeren stookplaats met marmeren schouw werd oorspronkelijk ontworpen om kolen te stoken, maar is omgebouwd tot een moderne open haard. De prachtige gebeeldhouwde ombouw, het boogvormige stookgat en de eenvoudige schoorsteenmantel hebben geen verdere versiering nodig. Reproducties van antieke schouwen en ombouwen zijn algemeen verkrijgbaar.

Nis in de muur

Deze ultrastrakke vormgeving vertegenwoordigt een trend in de ontwerpen van open haarden die steeds populairder is in moderne huizen. Deze open haard, niet meer dan een nis in de muur, vloeit voort uit de moderne architectuur en bestaat meestal uit een horizontale stookplaats laag in de muur zonder ombouw of schouw.

BIJZONDERE VOORWERPEN OP DE SCHOUW DRAGEN BIJ AAN DE SFEER VAN DE ZITKAMER. GEEF JE FAVORIETE VERZAMELING ZO EEN CENTRAAL PLEKJE.

Een spiegel in federalistische stijl, *linksboven*, komt prachtig tot zijn recht in combinatie met deze symmetrische compositie. Het kleurschema in zwart, bruin en wit zorgt voor eenheid. Kies voorwerpen waarin basisvormen terugkeren (de ballen en de ronde spiegel) en blijf net zo lang rangschikken tot je het juiste evenwicht hebt gevonden.

De verzameling van een cinefiel, *links*, omvat oude filmposters, een reeks oude camera's en grappige attributen als een hommage aan de filmgeschiedenis.

Een stilleven, *boven*, maakt deze verzameling compleet. De herhaling van ronde en rechthoekige vormen zorgt voor ritme en rust in het geheel, en trekt het oog van de schelpen naar de bloemen en vervolgens naar het bijzonder ingelijste boek erboven.

Een collectie vergrootglazen, *rechts*, gecombineerd met zwart-wit aardewerk vormt een originele decoratie. De dynamische rangschikking van vormen wordt een geheel door het gemeenschappelijke kleurenpalet.

In de meeste moderne huizen speelt het gezinsleven zich af in één grote, gemeenschappelijke woonkamer. En de reden daarvan ligt voor de hand. Niets is zo gezellig als een kamer die zo groot is dat iedereen er kan zitten en zo goed ingericht dat het er ook nog prettig toeven is. Het geheim van een grote ruimte die prettig oogt, is de balans tussen de behoefte aan een zekere afscherming en de noodzaak voor een harmonieus geheel. Begin met de ruimte in te delen voor verschillende activiteiten – lezen, televisiekijken,

INDELEN VAN EEN GROTE
WOONKAMER

NU VRIJWEL NIEMAND MEER KIEST VOOR EEN AFZONDERLIJKE ZITKAMER EN EETKAMER MAAR VOOR EEN MULTIFUNCTIONELE 'WOONKAMER', WORDT DIE GEMEENSCHAPPELIJKE RUIMTE HET NIEUWE HART VAN HET HUIS.

eten enzovoort. Daardoor versterk je de indruk van een aantal afzonderlijke plekken binnen de grotere ruimte. Markeer de overgang van de ene plek naar de andere met een kleed en een strategische opstelling van de meubels. Maak de ruimte tot een geheel door consequent één stijl te handhaven en gebruik nergens meer dan één of twee hoofdkleuren om een rommelige indruk te voorkomen. Kies materialen, verf en weefsels die bestand zijn tegen intensief gebruik, meubels met een royale afmeting en meerdere lichtpunten, zowel sfeerverlichting als werklicht. Besteed vooral aandacht aan decoratieve elementen en zorg voor voldoende bergruimte – een belangrijk aspect in een ruimte waar allerlei activiteiten plaatsvinden.

HET INDELEN VAN EEN GROTE WOONKAMER

Een verzorgd uitzien- de woonkamer

Muziek en spelletjes horen bij het dagelijks leven in een geslaagde woonkamer met een stijlvol, comfortabel en toch gezellig interieur.

Soms heb je een ruimte nodig waar een rustig gezelschap van volwassenen kan luisteren naar pianospel, maar ook een plek waar je met het hele gezin een spelletje kunt doen. Een rustige inrichting is de beste oplossing voor een verzorgd uitziende, sfeervolle woonkamer.

Comfort en elegantie gaan prachtig samen in een kamer met gedempte neutrale kleuren en aardetinten. Neutrale kleuren vormen altijd de meest veelzijdige achtergrond omdat de ruimte in een oogwenk een compleet nieuw karakter kan krijgen door andere accenten. Warme neutrale tinten stralen een bescheiden luxe uit die gemakkelijk verhoogd of gedempt kan worden: het ene moment nestel je je op de bank terwijl de kinderen spelen en de honden aan je voeten liggen en later op de avond geef je een feestje. Maak een kamer minder formeel door comfortabele meubels zoals leren fauteuils en een behaaglijk hoogpolig wollen kleed en houd de accessoires eenvoudig en strak.

Zo deel je een grote ruimte in

Geef een grote ruimte vorm met subtiele scheidslijnen die het open karakter handhaven maar toch gescheiden plekken creëren.

De uitdaging van een open interieur is het afbakenen van afzonderlijke zones voor verschillende activiteiten – of gezinsleden – zonder dat het idee van ruimte verloren gaat. Het aanbrengen van een visuele scheiding tussen zones is meestal de beste oplossing. Door een bank van losse elementen met de rug naar de rest van een open ruimte neer te zetten baken je een zithoek af. Een gedeeltelijke scheidingswand, boekenkasten, vouwwanden of portières (gedrapeerde gordijnen) zijn ideaal om een ruimte op te delen; door ze niet tot aan het plafond te laten doorlopen blijft het open karakter van de ruimte bewaard. Zones kunnen ook worden gemarkeerd door een verschil in vloerbedekking of plafondhoogte.

Een vuistregel is dat enkele grote meubels in een grote ruimte mooier zijn dan een groot aantal kleinere meubels. Meubels die uit een aantal losse elementen bestaan zijn erg praktisch omdat ze duidelijk de verschillende plekken afbakenen en gemakkelijk te verplaatsen zijn.

HET GEHEIM VAN DEZE RUIMTE

In deze open woonkamer, ontworpen voor een gezin met jonge kinderen, zorgen imaginaire visuele grenzen voor verschillende gedeelten om te ontspannen, te spelen, te eten en te koken.

■ EEN NEUTRAAL KLEURSCHEMA van wit en donker grijsbruin maakt de verschillende gedeelten van de ruimte tot een eenheid. Levendige accenten in rood en ebbenhout zorgen voor contrast.

■ EEN RUIME INGEBOUWDE BANK vormt een comfortabele televisiehoek en een visuele scheiding met de hobbyruimte erachter. Rode hanglampen accentueren de grens tussen zithoek en eetgedeelte.

■ EEN SCHEIDINGSWAND beneemt het zicht op de keuken en zorgt voor de felrode accentkleur, die in de hele ruimte terugkomt.

■ KINDVRIENDELIJKE MATERIALEN en een slijtvaste vloerbedekking maken deze kamer tot een ideale speelruimte voor kinderen. De met schoolbordverf beschilderde salontafel op wieltjes kan naar andere delen van de kamer worden gereden. Een bijzondere uittrekbare eettafel op wielen kan worden aangepast of verplaatst als er meer gasten komen eten.

Een gezinsvriendelijke woonkamer

Als je een ruimte met het hele gezin moet delen, telt elke centimeter. Gesloten kasten en verrijdbare opbergkratten houden de boel op orde.

Een kleine ruimte vereist een praktische inrichting en dat geldt vooral als ieder gezinslid een eigen plekje nodig heeft om met zijn of haar werk of hobby bezig te kunnen zijn. Het vergt een aantal specifieke oplossingen om ieders spullen, speelgoed, boeken en hobbymaterialen zodanig op te bergen dat ze gemakkelijk voor de dag te halen zijn.

Kratten op wieltjes zijn handig voor kinderen; ze kunnen speelgoed en tekenspullen meenemen naar de plek waar ze nodig zijn. Als je ieder kind zijn of haar eigen krat geeft, houd je hun spullen uit elkaar en maak je hen daar verantwoordelijk voor; bovendien zullen ze eerder bereid zijn om te helpen als het tijd is om op te ruimen. Benut de ruimte onder een salontafel door er manden voor boeken en speelgoed neer te zetten, waar kinderen gemakkelijk bij kunnen. De duurdere 'speeltjes' van volwassenen, zoals audiovisuele apparatuur, kunnen het best achter goed afsluitbare deuren worden bewaard, bij voorkeur in een speciale kast.

HET GEHEIM VAN DEZE RUIMTE

Deze woonkamer heeft bergruimte voor kinderspeelgoed op vloerhoogte zodat zij erbij kunnen, terwijl de werkplek en de audiovisuele apparatuur zo beter beschermd zijn.

■ KASTEN VAN VLOER TOT PLAFOND herbergen een tv en andere elektronica en tevens bergruimte voor zomer- of winterspullen als die niet worden gebruikt.

■ KRATTEN OP WIELTJES en stapelbare karretjes met speelgoed maken opruimen tot een fluitje van een cent. Manden met kinderboeken vinden een plekje onder een robuuste salontafel.

■ EEN OUDERWETS SCHOOLBANKJE vormt een plekje waar een kind rustig kan zitten tekenen zonder ver van zijn huisgenoten te zijn.

■ OPEN SCHAPPEN vormen een werkplek in huis en een handige opbergplaats.

Schappen langs de muur

Boekenplanken vormen een van de meest efficiënte opbergmogelijkheden. Ze maken een kamer interessant en bieden fantastische creatieve mogelijkheden omdat je er niet alleen boeken maar ook souvenirs, foto's en kunstvoorwerpen op kwijt kunt.

Het materiaal van de schappen moet passen in het interieur. Hout is het meest voor de hand liggende materiaal omdat het in elke gewenste kleur kan worden gebeitst of geschilderd; metalen schappen hebben een modernere uitstraling. Monteer de schappen op gelijke hoogte met deuren, ramen en andere bouwkundige elementen in de kamer. Bij een goede boekenkast is de afstand tussen de verticale staanders gelijk en in het ideale geval lopen de horizontale planken over de hele lengte door (hoewel de afstand tussen de planken onderling kan variëren, zodat verschillende voorwerpen, geluidsapparatuur en grote boeken ertussen passen). Laat de grootste ruimte open tussen de onderste planken, anders lijkt het alsof je kast topzwaar is en naar voren helt.

Boekenplanken rondom, *rechts*, veranderen een hoek van een grote open woonkamer in een knusse leeshoek met diepe vensterbanken; op de bovenste plank kunnen bijzondere voorwerpen worden neergezet. Door de planken boven de ramen door te trekken ontstaat een mooi strak geheel.

ZO DOE JE DAT: HET INRICHTEN VAN DE BOEKENKAST

Als je boekenplanken bevestigd zijn, komt het moment om ze in gebruik te nemen. Misschien beschouw je een boekenkast niet als een inrichtingselement, maar een doordachte rangschikking van boeken en dierbare voorwerpen vormt een aantrekkelijk beeld waar je bovendien gemakkelijk bij kunt.

Boekenplanken geven een inkijkje in de persoonlijkheid van de bezitter. Boeken en souvenirs tonen de interesses, favoriete schrijvers en kunstenaars en onvergetelijke reizen van het gezin. Als je de boekenkast opnieuw wilt inrichten om een mooier geheel te krijgen of om bepaalde boeken beter te kunnen terugvinden, volgen hier enkele tips om er tegelijk een decoratief element in je kamer van te maken.

■ INVENTARISEER wat er op de planken moet komen te staan. Haal alles eraf en sorteer op formaat of genre, zodat je overzicht krijgt van wat je op te bergen hebt.

■ LAAT TUSSEN DE BOEKEN ruimte over om voorwerpen of verzamelobjecten neer te zetten of iets op te hangen tegen de achterwand van de boekenkast. Daardoor creëer je een soort vitrine tussen de planken, waardoor de boekenkast minder 'zwaar' en compact wordt.

■ RANGSCHIK DE BOEKEN OP GROOTTE: het is het mooist als je grote boeken en voorwerpen op de onderste planken zet en kleinere hoger. Laat boven elke rij boeken 3 tot 5 cm open om ze van de plank te kunnen pakken.

■ VERZAMEL LOSSE SPULLETJES in dozen, dat staat netter. Gebruik manden of archiefdozen voor foto's, kaarten en brieven.

Kubussen van gelijke grootte

Schappen van muur tot muur in de vorm van uniforme kubussen verminderen de afstand tussen verticale staanders – een manier om doorzakken van de planken te voorkomen. Het regelmatige patroon geeft bovendien een mooi effect.

Vrijstaande boekenkast

Drie 30 cm diepe boekenkasten veranderen een overloop in een kleine bibliotheek, terwijl er nog voldoende loopruimte overblijft. Een rij boekenkasten tegen de muur wekt de indruk van – veel duurdere – ingebouwde kasten.

Schappen rond de open haard

De muren aan weerszijden van een open haard vormen een aangewezen plaats voor schappen. Hier loopt de bovenste plank door boven de open haard, waardoor de hele muur een geheel wordt en er een vitrine ontstaat voor kunstvoorwerpen boven de schouw. Het geeft een rustig effect als je de bovenste plank leeg laat.

Woekeren met de ruimte

Een diepte van 30 cm is voldoende voor boekenplanken en die ruimte is op de meest onverwachte plekken in huis te vinden. Met planken onder een raam wordt loze ruimte optimaal benut en krijg je bergruimte of een basis voor een zitje in het raam.

Omlijsting van de deur

Boekenliefhebbers lieten de boekenkast gewoonlijk doorlopen rond de deur en dat geeft een ruimte iets bijzonders, omdat er een soort alkoof ontstaat als de verticale staanders een deur of raam omlijsten.

Geschilderde achtergrond

Geef de muur achter je boekenkast een contrasterende donkere kleur om de aandacht te richten op de bijzondere voorwerpen tussen de boeken. Bij een boekenkast van vloer tot plafond wordt het geheel iets dynamischer als je de ruimte tussen de planken varieert.

HET IS HEERLIJK OM DOOR BOEKEN OMRINGD TE ZIJN. BEDENK EEN CREATIEVE MANIER OM DE AANDACHT TE VESTIGEN OP JE FAVORIETE BOEKEN EN DAARDOOR EEN DEEL VAN JE PERSOONLIJKHEID TE LATEN ZIEN.

Een smal kastje, *boven*, maakt van een stapeltje boeken een grappig accent. De ruimte is opgevuld met een bonte verzameling stuiverromannetjes en tegen de achterkant zijn vergrote pagina's uit de boeken geplakt, een origineel idee dat het geheel afmaakt.

Een stapel gekafte boeken, *rechts*, met daarop dierbare voorwerpen vormt een chic en gestroomlijnd, grappig ornament. Het witte papier verbergt de veelkleurige stofomslagen en de met de hand geschreven titels op de rug zorgen voor een persoonlijke signatuur.

Een rij kookboeken, *pag. 55, boven*, vormt een ordelijk en decoratief geheel tussen een verzameling ouderwetse raspen als boekensteun. Hetzelfde effect geven stoffen zakjes rijst of meel, ouderwetse blikken met opschrift, houten snijplanken of andere keukenspullen.

Net als in de boekwinkel, *pag. 55, onder*, worden sommige boeken hier zo neergezet dat de voorkant zichtbaar is. Dat doorbreekt de strakke regelmaat in de boekenkast en nodigt uit tot het ter hand nemen van het boek. Wissel de boeken regelmatig om andere titels of recentelijk gelezen boeken onder de aandacht te brengen.

Ooit zag een keurige zitkamer eruit als een toonzaal die diende om de maatschappelijke status van het gezin te laten zien. De salon was bestemd voor speciale gelegenheden en je hoorde je daar keurig te gedragen. Maar de moderne zitkamer is vooral op comfort gericht en dat houdt meer in dan het in stijl ontvangen van familieleden en vrienden. Het moet een plek zijn waar je net zo graag een middagdutje doet als een feestje geeft, en waar je kinderen met hun vriendjes kunnen spelen. Comfort bieden bete-

ZO MAAK JE HET
GERIEFLIJK

BESCHOUW HET ALS EEN COMPLIMENT ALS EEN GAST ZIJN OF HAAR SCHOENEN UITTREKT EN ZICH ALS EEN TEVREDEN KAT OP JE BANK OPROLT. JE VERSCHAFT DE GROOTST DENKBARE LUXE:

ECHT COMFORT.

kent mensen op hun gemak stellen, fysiek en emotioneel. De ingrediënten daarvoor zijn eenvoudig: comfortabele stoelen, zachte stoffen, en gezellige extra's die gasten uitnodigen om zich te ontspannen. Het heeft te maken met zachte verlichting, stevige kussens die iemand achter zijn rug of in zijn nek kan leggen en extra stoelen voor late bezoekers. Het is het gevoel van zacht leer, een verend hoogpolig tapijt, de geur van verse bloemen. Voeg daar kaarslicht, een geborduurd kussen en een zachte foulard om koude voeten mee te bedekken aan toe en je bent er. Echt comfort is omringd worden door dierbaren en genieten van het thuis zijn.

ZO MAAK JE HET GERIEFLIJK

Verschillende texturen

Een knus toevluchtsoord voor familieleden en vrienden steunt op comfort in de vorm van behaaglijke dikke stoffen, warme kleuren en luxe accenten.

Een interieur kan zowel chic en verfijnd als uitnodigend en comfortabel zijn. Het geheim schuilt in een geraffineerde combinatie van verschillende texturen – waarbij meubels en accenten samen een stijlvolle ruimte vormen waarin iedereen zich op zijn gemak voelt.

Zorg voor een ongecompliceerde en gerieflijke sfeer door zinnenstrelende stoffen op de meubels, zoals een fraaie doek of foulard over de rug van de bank. Warme kleuren op de muur, leer, hout en zacht lamplicht dragen bij aan een warme, intieme sfeer. 's Avonds zorgt kaarslicht voor een warme gloed.

De combinatie van nonchalante en luxe stoffen geeft een ruimte een verzorgde en toch gerieflijke uitstraling. Kleed een met katoen beklede bank aan met kussens en foulards van soepel leer, suède of fluweel. Fluweel, damast en chenille zijn stoffen met een luxe uitstraling die toch gemakkelijk wasbaar zijn. Ook doorgestikte, gewatteerde of van ruches voorziene foulards verhogen de behaaglijke sfeer van een kamer.

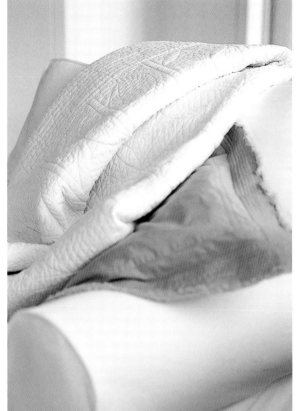

Rustgevende kleuren

Houd kleuren en meubels eenvoudig en zorg voor veel licht om de rustgevende uitstraling van een vakantieverblijf te creëren.

Rust creëren kan op veel manieren, maar het best met daglicht dat op heldere, lichte kleuren valt. Ruimtes met gedempte kleuren hebben een kalmerende uitwerking, vooral als de meubels sober zijn en zacht aanvoelen en de accentkleuren ingetogen worden gehouden.

In een volledig witte kamer zorgen verschillende texturen voor variëteit. Houten lambrisering, rustieke en antieke voorwerpen, matten van natuurlijke vezels, rieten meubels, doorgestikte dekens en bloemen en planten zorgen voor een interessante variatie aan textuur. Als het niet ten koste gaat van de privacy, laat dan de ramen onbedekt zodat het daglicht kan binnenvallen en geniet van het uitzicht op de buitenwereld. Tuinmeubels als rotan of rieten stoelen kunnen worden gestoffeerd met behaaglijk zachte kussens en geven je kamer een heel natuurlijk aanzien.

HET GEHEIM VAN DEZE RUIMTE

De overvloed aan licht geeft deze kamer een ongekende rust en helderheid, terwijl er toch zo veel contrast aanwezig is om het oog te boeien en voldoende groen om al het wit te temperen.

■ **DE COMFORTABELE ZITGELEGENHEID** werkt uitnodigend, zowel voor een groot gezelschap als om even heerlijk in je eentje weg te doezelen.

■ **EEN VOLLEDIG WIT INGERICHTE KAMER** met groene accenten ziet er op elk moment van de dag anders uit door de wisselende belichting.

■ **NATUURLIJKE MATERIALEN**, van de rieten stoelen en het sisalkleed tot het doorleefde hout en de zachte stoffen, brengen textuur en levendigheid in dit eenkleurige interieur.

■ **PLANTEN EN BLOEMEN** halen de natuur naar binnen.

■ **ONVERWACHTE ACCENTEN** versterken de informele sfeer. Een geestig ingelijste botanische prent boven de schouw wordt geflankeerd door boeketjes uit de tuin.

Als je een uitnodigende zitkamer hebt, is er niets op tegen om datgene wat je zo aantrekkelijk vindt in die ruimte ook naar buiten door te trekken, naar de tuin of patio. Steeds meer mensen zien hun tuin niet als een afzonderlijke ruimte maar als een natuurlijke voortzetting van hun zitkamer. In overeenstemming met het verlangen naar een meer ontspannen leefwijze is het buitenleven steeds belangrijker geworden, omdat het minder plichtplegingen en omhaal vergt en kinderen gemakkelijker bij festivitei-

VAN BINNEN
NAAR BUITEN

STEEDS MEER BETREKKEN WE OOK DE BUITENRUIMTE BIJ ONS HUIS. DE WOONKAMER OMVAT TEGENWOORDIG TEVENS DE DIERBARE OUDERWETSE VERANDA, DE PATIO EN HET TERRAS.

ten kunnen worden betrokken. Met alle weerbestendige meubels en materialen die tegenwoordig verkrijgbaar zijn, kun je de veranda of patio even stijlvol en comfortabel inrichten als de ruimtes binnenshuis. Ook de entree die voorheen niet meer was dan de toegang tot het huis, krijgt meer aandacht en wordt met evenveel zorg ingericht als de andere ruimtes. Het is tegenwoordig mogelijk om veel langer buiten te blijven zitten – vooral in streken waar het weer het grootste deel van het jaar zacht is. Dankzij gestroomlijnde straalkachels, overdekte terrassen, vuurkorven en stookplaatsen buiten kan iedereen het hele jaar door genieten van terras, veranda, patio of balkon.

VAN BINNEN NAAR BUITEN

Geleidelijke overgang

Een geslaagde buitenruimte combineert een prachtige omgeving met binnenshuis comfort waardoor de grens tussen huis en tuin vervaagt.

Een van de voordelen van een buitenkamer is het gevoel dat je min of meer in de tuin en toch beschut zit. Laat de overgang van binnen naar buiten zo vloeiend mogelijk verlopen om dat gevoel te versterken. Maak eenzelfde soort zithoek als je binnenshuis zou doen en geef de grens van de buitenruimte aan met een speciale vorm van bestrating of een overgang van bestrating naar gazon of grind. Essentieel voor een vloeiende overgang zijn een vrij uitzicht en de mogelijkheid om vrij van binnen naar buiten en omgekeerd te lopen – openslaande deuren zijn ideaal.

Neem meubels van teak of een andere vochtbestendige houtsoort die buiten geleidelijk verweren en een zilvergrijze kleur krijgen. Kies stevige kussens en stoffen die nat mogen worden en niet beschimmelen en lang meegaan. Vermijd te felle verlichting; maak gebruik van kaarsen in stormlampen of grote lantarens. Een bar of trolley buiten bespaart geloop naar de keuken zodat je meer tijd met je gasten kunt doorbrengen.

VAN BINNEN NAAR BUITEN

Het buitenleven

Een stenen haard verandert een tochtige veranda voor zomers gebruik in een plek waar je het hele jaar door gezellig en ontspannen bij elkaar kunt zitten.

Een overdekte veranda is altijd meer geweest dan een aangename plek om te zitten. Het is eigenlijk een boomhut voor volwassenen, met een speciale sfeer die het weemoedige afscheid van de zomer verzacht. De moderne tendens om verwarming aan te brengen op veranda's, terrassen en patio's maakt het mogelijk om het buitenseizoen tot ver in het najaar te laten voortduren. Net als in een zitkamer binnen vormt een open haard een vanzelfsprekend middelpunt in een buitenruimte.

Vooral als je in een streek woont met droge zomers, heb je een ruime keus aan buitenmeubels. Stoelen van roestvrij staal of vochtbestendig hardhout als teak, roodhout en nyatoh kunnen worden gecombineerd met lichte meubels en accessoires uit de zitkamer. Matten, kleurige foulards, extra kussens en zelfs leeslampen maken het buiten zitten uiterst comfortabel. Hang gordijnen van weerbestendig materiaal op voor meer beslotenheid.

Uitnodigende entree

De entree geeft een eerste indruk van je huis, dus is het van belang om bij de inrichting rekening te houden met het tweezijdige karakter ervan. Praktisch gezien speelt de entree een rol bij komen en gaan, dus heb je een handig systeem nodig om de wanorde in een van de kleinste ruimtes in huis de baas te blijven. Emotioneel gezien heeft de entree een functie bij het verwelkomen en ontvangen van gasten, dus probeer hem zodanig in te richten dat ze bij binnenkomst een prettig gevoel krijgen.

Het sleutelwoord om een ruimte op orde te houden is bergruimte. Als een ingebouwde kast ontbreekt, bevestig dan haken aan de muur voor jassen en mutsen en zet een bak of mand neer voor natte paraplu's en laarzen. Ruim op een haltafeltje of laag kastje een plekje in voor post, tassen en sleutels. Een stoel of bankje om zittend je schoenen uit te trekken is ook praktisch. Om de entree visueel te verbinden met de rest van het huis kies je meubels, kleuren en decoraties die passen bij de aangrenzende ruimtes. Vergeet het deurmatje ter verwelkoming niet!

Een laag kastje, *rechts*, vormt een efficiënte bergruimte voor in de hal. Extra draadmanden voor grotere spullen houden de doorgang vrij en op haken aan de muur wordt een rij hoeden een decoratief en praktisch element.

ZO DOE JE DAT: VLOERBEDEKKING KIEZEN VOOR DE HAL

Het maakt niet uit of je voordeur uitkomt in een hal of direct in de woonkamer, maar de vloer in de entree heeft veel te verduren. Tegelijk zorgt hij voor de eerste indruk bij het binnenkomen. De vloerbedekking zet daarom niet alleen de toon voor de entree, maar ook voor de rest van je huis.

Bij de keuze van het materiaal spelen twee zaken mee: het moet netjes zijn maar ook sterk. Een verzorgd interieur of een statige gevel veronderstelt een onberispelijke entree. Op dezelfde manier verraadt een informele entree een ongedwongen interieur. Door de vloerbedekking van aangrenzende ruimtes door te trekken naar de hal lijkt deze groter. Dat betekent soms dat je een compromis moet sluiten tussen mooi en slijtvast, bijvoorbeeld als je hout kiest in plaats van tegels.

■ HOUT, *linksboven*, is warm, mooi en glad aan de voeten maar moet bij nat weer geregeld opnieuw worden gelakt en beschermd.

■ PORSELEINEN TEGELS, *rechtsboven*, worden gemaakt van een speciaal mengsel van porseleinaarde en mineralen dat bij extreem hoge temperaturen wordt gebakken, waardoor een harde, compacte tegel ontstaat die bestand is tegen vlekken en krassen. Grote porseleinen tegels zien eruit als natuursteen.

■ PLAVUIZEN, *linksonder*, zijn een veelzijdig materiaal dat in vrijwel elk interieur past. Ze hebben een luxe uitstraling en zijn buitengewoon slijtvast.

■ TERRACOTTA TEGELS, *rechtsonder*, geven een warm, landelijk effect. Omdat deze tegels niet geglazuurd zijn, moeten ze waterafstotend worden gemaakt met bijvoorbeeld lijnolie, maar ze vergen verder weinig onderhoud.

Geschilderde houten poort

Een toegangspoort moet uitnodigend zijn en in overeenstemming met de stijl van het huis erachter. Deze mooie houten poort ademt dezelfde rustieke stijl als het lemen huis. De open panelen en de vrolijke kleur maken hem minder streng.

IJzeren hek

Door het transparante karakter lijkt dit stevige hek minder afwerend. Het fraaie smeedijzer, dat bezoekers een blik op de tuin biedt, is een antiek traliewerk dat een tweede leven heeft gekregen, en het is niet alleen mooi maar ook degelijk. Een toegangshek in stijl.

Trap

Laat de monumentale trap in een oud huis optimaal tot zijn recht komen door bouwkundige details te accentueren met hoogglansverf en een traploper die de blik omhoog leidt. Deze 'loper' is op de treden geschilderd en leidt de blik naar een stapel ouderwetse koffers die tevens dienstdoen als bergruimte.

Toegang tot de woonkamer

Als de voordeur direct uitkomt in de woonkamer, kun je een soort entree creëren met een groot meubelstuk zoals een wandtafel of kast. Haken aan de muur lossen het probleem van jassen en andere kledingstukken decoratief op. In een lade verdwijnen sleutels, handschoenen, sjaals en post.

De bijkeuken

Een robuuste blokhutstijl past in een weekendhuisje, maar ook in de garage of bij de achteringang van een huis met kleine kinderen. Iedereen heeft zijn eigen 'nis', aangeduid met een lei, waardoor jassen, mutsen, laarzen en regenpakken onmiddellijk te pakken en weer op te ruimen zijn.

Gedeeltelijke afscheiding

Ook open woonkamers hebben een entree nodig. Waar die ontbreekt, moet je zelf een soort halletje creëren met behulp van een vrijstaand meubel zoals deze bank met hoge rugleuning. Je kunt erop zitten om laarzen of bemodderde schoenen uit te trekken en onder de zitting bevindt zich handige bergruimte. In de ruimte erachter is plaats voor buitenspullen.

Het zichtbaar neerzetten van voorwerpen die voor jou betekenis hebben, zou je ook een vorm van kunst kunnen noemen, vooral als het op een aantrekkelijke manier gebeurt. Dingen die voor een gezin dierbaar zijn, vinden gasten vaak fascinerend, en we reageren allemaal op zulke persoonlijke uitingen in een ruimte. Geef kunstvoorwerpen, foto's en dierbare spulletjes een plekje waar ze opvallen – door creatief gebruik te maken van planken, schoorsteenmantels, tafels en muren – en laat ze hun verhaal

TOON JE
MOOISTE SPULLEN

BIJZONDERE VOORWERPEN EN PERSOONLIJKE VERZAMELINGEN MAKEN EEN HUIS INTERESSANT. GUN GASTEN EEN KIJKJE IN JE LIEFHEBBERIJEN DOOR JE FAVORIETE SPULLEN SMAAKVOL UIT TE STALLEN.

vertellen over je interesses, erfstukken en reizen. Bijzondere voorwerpen en verzamelingen vormen de belangrijkste elementen in een huis en hoewel nergens vastgelegd is wat daar precies onder valt, kunnen een paar suggesties helpen om je dierbaarste spullen optimaal tot hun recht te laten komen. Combineer voor een maximaal effect voorwerpen en foto's op kleur, materiaal, vorm of thema; het mooist zijn combinaties van drie of vijf voorwerpen. Ingelijste foto's van je voorouders, de familieboerderij en je ouders als pasgetrouwd stel voor hun eerste auto krijgen de poëtische allure van een stamboom als je ze in het trappenhuis hangt. Zelfs oude ansichtkaarten vormen een unieke kunstverzameling als je ze voorziet van een passepartout en ingelijst ophangt.

Schappen

Op mooie schappen langs de muur komen boeken, bijzondere voorwerpen en verzamelingen prachtig tot hun recht.

Er bestaat nauwelijks een betere manier om boeken, snuisterijen en kunstvoorwerpen onder de aandacht te brengen dan op schappen langs de wand. Zowel een boekenkast als planken zijn ideaal, omdat ze orde scheppen en in een handomdraai veranderd kunnen worden. Varieer de hoogte van de vakken, zodat je voorwerpen van verschillende grootte kwijt kunt en combineer voorwerpen op een creatieve manier. (Als bijzondere voorwerpen tegelijkertijd dienstdoen als boekensteun is dat mooi meegenomen.) Door alle planken in dezelfde kleur te schilderen ontstaat een heldere, strakke indruk; kies een kleur die net iets anders is dan die van de muur, dan vallen de voorwerpen meer op. Dat wordt nog versterkt door accentverlichting; bedenk van tevoren waar de contactdozen moeten komen.

HET GEHEIM VAN DEZE RUIMTE

Ingebouwde schappen voor kunstvoorwerpen en dierbare spulletjes geven deze ruimte een warm en levendig karakter en een ordelijk aanzien.

◼ BREDE HORIZONTALE BALKEN op tafelhoogte en hoger vormen een stevig geraamte voor de overige planken en accentueren de bovenste rij, waar een fraaie verzameling een plekje heeft gevonden.

◼ HET RUSTIGE KLEURENSCHEMA zorgt ervoor dat kostbare voorwerpen prachtig afsteken tegen de lichtgrijze achtergrond; de voorwerpen op de planken lijken naar voren te springen.

◼ DE RUIMTE TUSSEN DE ONDERSTE PLANKEN biedt plaats aan grote boeken en zorgt voor een visuele balans.

◼ DE TWEE GROTERE VAKKEN geven een symmetrisch beeld en bieden ruimte aan bijzondere kunstvoorwerpen.

◼ ANTIEKE VOORWERPEN EN BIJZONDERE VONDSTEN tussen de boeken vormen interessante blikvangers.

◼ GRAPPIGE BLIKKEN zijn handig voor het opbergen van brieven en muntgeld.

PRESENTEER VERZAMELINGEN ALS ÉÉN GEHEEL, DAARMEE BEREIK JE HET GROOTSTE EFFECT. LAAT VORMEN, KLEUREN EN THEMA'S TERUGKOMEN OM EENHEID TE CREËREN.

Antieke theekoppen, *boven*, en andere kleine breekbare verzamelobjecten komen in een grote kast meestal niet tot hun recht. Op deze aan de muur bevestigde kubussen steken ze prachtig af tegen het donkerblauw van de achtergrond.

Een verzameling voorwerpen uit de natuur, *rechts*, wordt interessanter als een ervan bijzondere aandacht krijgt. Hier vormt een breekbaar struisvogelei op een standaard de blikvanger van het stilleven.

Een collectie sleutels, *hiernaast, boven*, wordt interessant als ze op een bijzondere manier worden getoond. Als achtergrond fungeert hier een magnetisch prikbord met rechthoekige magneten waaraan de sleutels met simpele koordjes zijn bevestigd.

Een reeks antieke gewichtjes, *hiernaast, onder*, komt nog beter tot zijn recht op een plankje op pootjes. Dit fraaie arrangement wordt bekroond met een kleurig accent — een takje met vruchten van de alfrank.

Je eigen galerie

Een muur vol foto's, neergezet en opgehangen als in een galerie, vormt een onmiskenbare blikvanger die bovendien elk moment vernieuwd kan worden.

Foto's die op een bijzondere manier worden getoond kunnen een kamer volledig veranderen. Dat geldt voor een verzameling kunstfoto's, maar ook voor de meest recente eigen creaties die je met een digitale camera hebt gemaakt. Foto's zijn niet alleen een zeer betaalbare vorm van kunst, maar kunnen ook op allerlei manieren worden getoond. Eigen foto's bieden nog veel meer mogelijkheden omdat je zelf het formaat kunt bepalen.

Zet ze eens op smalle schappen in plaats van ze op te hangen. Daardoor kun je gemakkelijk wisselen of nieuwe foto's toevoegen. Door de foto's willekeurig neer te zetten ontstaat een dynamisch en 'toevallig' effect.

HET GEHEIM VAN DEZE RUIMTE

Een zorgvuldige dosering van kleur en een sfeer van getemperde luxe geven deze kamer een verrassend warm karakter. Door de witte muren en meubels krijgen de foto's alle aandacht.

■ SMALLE PLANKEN met een opstaande rand vallen voor het oog weg tegen de achtergrond, maar bieden veel ruimte voor een wisselende expositie. Een spotje aan het plafond zorgt 's avonds voor accentverlichting.

■ ONINGELIJSTE FOTO'S die met klemmetjes aan draden zijn bevestigd bieden de mogelijkheid om de compositie in een handomdraai te veranderen.

■ EENVOUDIGE LIJSTEN die in kleur en vorm harmoniëren maken van de afzonderlijke foto's een evenwichtige compositie.

■ ONOPVALLENDE MEUBELS zorgen ervoor dat alle aandacht uitgaat naar de foto's.

■ IN DE ZORGVULDIG GEKOZEN ACCESSOIRES komen de kleuren uit de foto's terug in de kamer.

HET OPHANGEN VAN FOTO'S IS EEN KUNST OP ZICH: VOORZIE ZE VAN EEN PASSE-PARTOUT EN LIJST, COMBINEER MEERDERE AFBEELDINGEN VOOR EEN MAXIMAAL EFFECT EN HANG ZE OP ONVERWACHTE PLEKKEN.

Foto's van verschillend formaat, *hiernaast, boven*, zijn asymmetrisch opgehangen en met spiegels en verzamelobjecten tot een aantrekkelijk geheel gecombineerd. De harmonie wordt versterkt door uitsluitend zwart-witfoto's te gebruiken en alle lijsten in dezelfde kleur te houden. De combinatie van foto's en dierbare herinneringen is een boeiende manier om een verhaal te vertellen.

Zwart-witfoto's, *hiernaast, onder*, zorgen voor een verrassend effect als ze op de deur van een glimmend zwarte kast worden bevestigd, vooral als zoals hier identieke rode lijsten en witte passe-partouts zijn gebruikt. Kijk eens wat verder dan de vier muren voor een interessante plek voor je foto's – misschien op de vloer tegen de muur of op planken op verschillende hoogtes langs de trap.

Keurig op een rij opgehangen foto's van planten, *links*, geven het effect van een galerie. Als je foto's zo strak in het gelid ophangt, kun je je het best aan één onderwerp of thema houden en óf allemaal zwart-witfoto's óf allemaal kleurenfoto's gebruiken. Het mooiste effect krijg je als alle lijsten identiek zijn; de grootte van de passe-partouts kan per foto variëren. Meet de afstanden tussen de afzonderlijke lijsten zorgvuldig af zodat ze allemaal gelijk zijn.

Panoramische foto's, *boven*, vallen meer op als je ze een bijzondere plaats geeft – onder een vensterbank – wat het effect versterkt en het verhaal in zwart-wit nog boeiender maakt. Achter elkaar gerangschikt ontstaat er een soort stripverhaal.

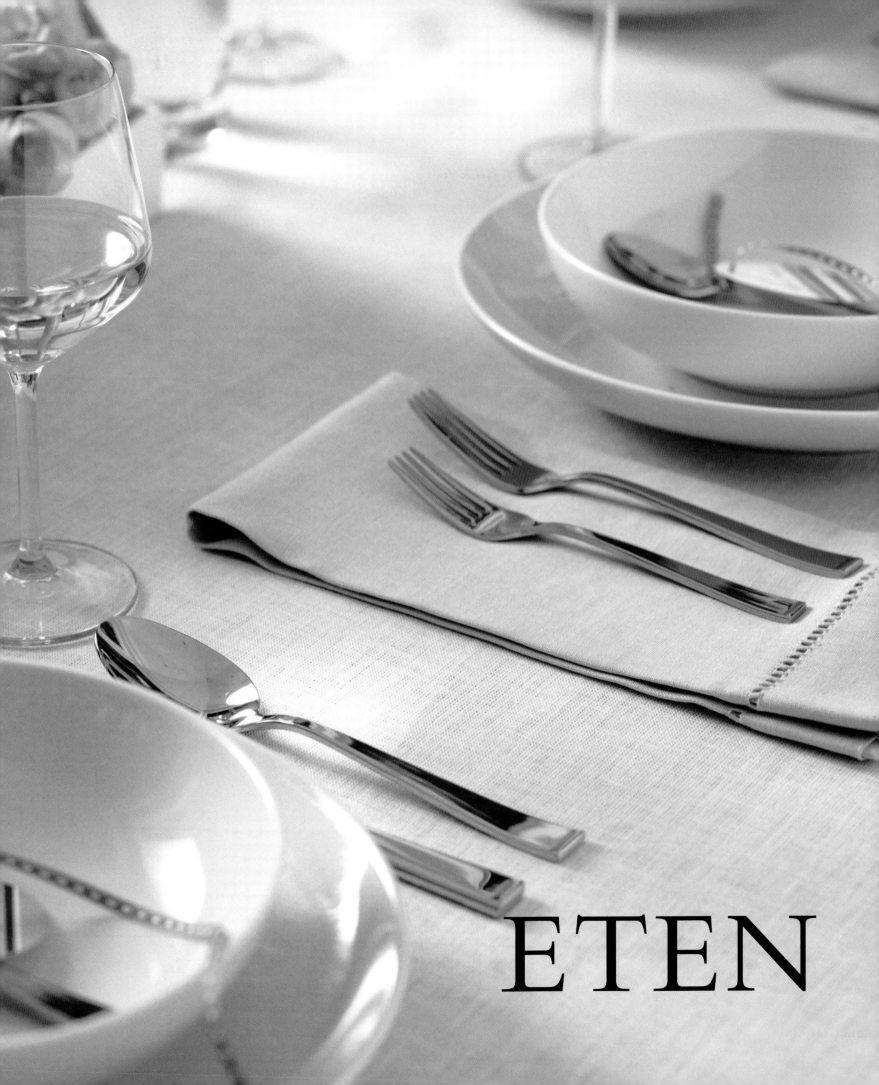

ETEN

'IK EET GRAAG MET FAMILIE EN VRIENDEN. IK WIL DAT IEDEREEN ZICH THUIS VOELT IN MIJN EETKAMER OM VRIJUIT URENLANG AAN TAFEL TE PRATEN EN TE LACHEN.'

EETRUIMTE

Van alle vertrekken in huis is de eetkamer de plek die tijdens ons leven het minst is veranderd – dat wil zeggen, wat meubilair en inrichting betreft. Wél is onze manier van eten veranderd. Terwijl vroeger een aparte eetkamer en vaste plaatsen aan tafel de norm waren, genieten we tegenwoordig van een ontspannen sfeer in een gezellige eethoek, eten aan een keukeneiland of op het terras, en gebruiken we onze eethoek ook buiten de maaltijden als een centraal punt in huis. De moderne eetkamer straalt ook een warmere en meer persoonlijke sfeer uit dan vroeger.

Op de volgende bladzijden laten we slechts een handvol mogelijkheden zien om zowel binnen als buiten een leefbare eetkamer in te richten en die tot een bijzondere plek in huis te maken.

Het ontwerpen van een eetkamer

Eetkamers zijn pretentieloos, maar niet per se saai. Het belangrijkste is dat het een prettige plek is om te eten. Let bij het kiezen van een eethoek op kwaliteit en comfort en vul het geheel aan met meubels die je leuk vindt.

Het voornaamste element in een eetkamer is een tafel. Hout blijft het populairste materiaal omdat het een warme uitstraling heeft en weinig onderhoud vergt. Glanzend gepolitoerd hout past in een klassiek interieur, een geschilderde of gebeitste tafel is wat informeler. Heel verrassend is glanzend zwart gelakt hout; het geeft een eetkamer cachet, en net als het befaamde zwarte jurkje kan het effect ervan zowel informeel als verfijnd zijn, al naar gelang de situatie. Even belangrijk als de tafel is de vorm van de stoelen voor het persoonlijke karakter van de eetkamer. Ze moeten bij de tafel passen, maar hoeven niet

identiek te zijn (zie blz. 98-99 voor tips). Het is handig om servies en bestek in de eetkamer te kunnen opbergen in een kast. Een dressoir is heel efficiënt omdat dit behalve als bergruimte ook als buffet kan dienen. Een hoge kast met glazen deurtjes of een kast met laden en planken is mooi omdat hij hoogte geeft aan de eetkamer, waar de overige meubels meestal laag zijn.

Een eetruimte bestaat hoofdzakelijk uit harde oppervlakken, dus moet textiel voor een zachtere en warmere sfeer zorgen. Dek de tafel met een fris linnen kleed of losse tafellopers die het hout gedeeltelijk zichtbaar laten. Hang stoffen gordijnen of rolgordijnen voor de ramen. Gordijnen van fluweel of zijde zijn vooral bij kaarslicht prachtig en zorgen voor textuur, warmte en een luxe uitstraling. Ook gestoffeerde stoelen of stoelen met een losse hoes vormen een mogelijkheid om kleur, mooie dessins en textuur toe te voegen.

EEN INFORMELE EETKAMER

Deze ruimte (hierboven en vorige bladzijde) met een comfortabele ovale tafel en stoelen met armleuningen nodigt iedereen uit voor een smakelijke maaltijd.

■ RONDE EN OVALE TAFELS raken steeds meer in trek omdat ze op een natuurlijke manier het gesprek bevorderen doordat iedereen de andere tafelgenoten kan zien en horen.

■ GESTOFFEERDE STOELEN MET ARMLEUNINGEN stimuleren gasten tot lang natafelen.

■ EEN BOERENKAST geeft allure aan een eetkamer. Bovendien voorziet hij in handige bergruimte en kan het uitspringende blad van het onderste deel dienen als buffet terwijl in het bovendeel serviesgoed en glaswerk maar ook verzamelingen en andere spullen kunnen worden opgeborgen.

■ EEN FRAAIE HANGLAMP zonder het formele karakter van een kristallen kroonluchter zorgt voor een feestelijke sfeer.

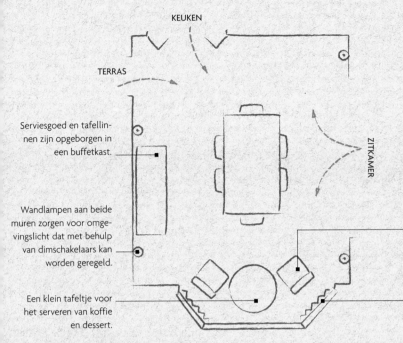

KEUKEN

TERRAS

Serviesgoed en tafellinnen zijn opgeborgen in een buffetkast.

Wandlampen aan beide muren zorgen voor omgevingslicht dat met behulp van dimschakelaars kan worden geregeld.

Een klein tafeltje voor het serveren van koffie en dessert.

ZITKAMER

DE KLASSIEKE EETKAMER

In deze ruimte komt een aantal deuren uit, maar een looproute van 1,2 meter voorkomt opstoppingen. De afstand tussen de eettafel en de meubels langs de wand is 90 cm, zodat de gasten hun stoel zonder bezwaar naar achteren kunnen schuiven.

Bij het tafeltje staan twee extra stoelen; als de eettafel wordt uitgetrokken kunnen die er gemakkelijk bij gezet worden.

Gordijnen voor de ramen in de erker zorgen voor de nodige textuur en warmte in deze eetkamer.

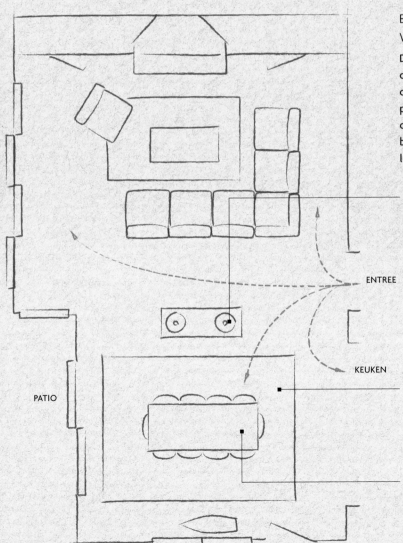

PATIO

ENTREE

KEUKEN

EETGEDEELTE IN EEN OPEN WOONKAMER

Deze eetruimte bevindt zich tussen de zitkamer en de keuken (rechtsonder, niet getekend). Een glazen schuifpui geeft toegang tot het terras, dus de bewegingsvrijheid vormt hier een belangrijke overweging bij het opstellen van de meubels.

Een zijtafel met daarboven lampen vormt de scheiding tussen eetkamer en zithoek. In de open vakken vinden serviesgoed en tafellinnen een plaats en het bovenblad dient als buffet, voor het serveren van kleine hapjes, snelle maaltijden en drankjes.

In de grote, open woonruimte is het eetgedeelte afgebakend met een groot kleed dat aan alle kanten 90 cm groter is dan de tafel, zodat de stoelen ook bij het verschuiven op het kleed blijven passen.

Als de eettafel helemaal is uitgetrokken, kunnen er tien mensen aan zitten.

HOEVEEL PERSONEN PASSEN ER ROND JE TAFEL?

Om te voorkomen dat je gasten elkaar in de weg zitten met hun ellebogen, moet ieder minstens 60 cm tafelruimte hebben.

24" (60 cm)

Een rechthoekige tafel

180 × 80-90 cm biedt plaats aan 6 personen
250 × 80-90 cm biedt plaats aan 8 personen
275 × 80-90 cm biedt plaats aan 10 personen
300 × 80-90 cm biedt plaats aan 12 personen

Zie bladzijde 99 om te bepalen welk formaat tafel in je eetkamer past.

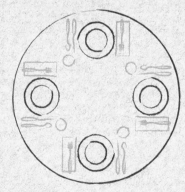

Een ronde of ovale tafel

Aan een tafel met een poot in het midden kunnen meer mensen zitten.

Een tafel met een diameter van 115 cm biedt plaats aan 4 personen, een ovale tafel van 170 × 115 cm biedt plaats aan 6 personen, een ovale tafel van 185 × 115 cm biedt plaats aan 6-8 personen.

De formele eetkamer waarmee velen van ons zijn opgegroeid, leek op een driedelig pak: mooi, traditioneel en tamelijk stijf. De moderne eetkamer heeft meer weg van vrijetijdskleding. Comfort is het uitgangspunt en een stijlvolle combinatie van informele elementen zorgt voor een mooi geheel. Hoewel de combinatie van tafel en stoelen hetzelfde is gebleven, zijn ze tegenwoordig comfortabeler, functioneler en in harmonie met de rest van het huis. Meestal is er niet eens een aparte eetkamer. Bestem een deel van een grote woonkamer tot eethoek, gebruik een

OPNIEUW DE EETKAMER
DEFINIËREN

DE MODERNE EETKAMER IS INFORMEEL EN PRETENTIELOOS; NIET DE RUIMTE ZELF MAAR DE JUISTE ACCESSOIRES EN DE MANIER VAN TAFELDEKKEN ZORGEN ZO NODIG VOOR EEN FEESTELIJKE STIJL.

afzonderlijke kamer als je die hebt of kies voor een open eetkeuken. Richt je eetkamer in met bijzondere meubels, verschillende stoelen en favoriete voorwerpen. Berg serviesgoed, schalen en tafellinnen op in open schappen zodat ze zichtbaar zijn. Vind je dat te rommelig, hang dan kastjes met glazen deurtjes op of berg het tafelgerei op in een ouderwetse servieskast. Schep een gezellige sfeer met vrolijke placemats, grote onderborden of kleurige tafellopers in plaats van het traditionele tafellaken en voorzie de stoelen van kleurige hoezen en kussens. Hang familiefoto's of prenten aan de muur en druk zo veel mogelijk een persoonlijk stempel op de ruimte.

De nieuwe officiële eetkamer

Nodig je graag gasten uit maar is de eetkamer eigenlijk te klein, richt dan een weinig gebruikte voorkamer in om meer ruimte te creëren.

Sommige oude huizen hebben een extra 'ontvangkamer' die weinig gebruikt wordt omdat de bewoners de voorkeur geven aan de ruimere zitkamer. Waarom zou je de eettafel niet naar die extra ruimte verplaatsen als je over een dergelijke 'salon' beschikt en de eigenlijke eetkamer te klein is voor alle gasten die je wilt uitnodigen? Zulke kamers zijn vaak niet alleen groter, maar hebben ook mooie bouwkundige details die een etentje tot een stijlvol diner maken. Een open haard zorgt voor directe warmte en op een schouw komen kaarsen en bloemen prachtig tot hun recht. Op de ingebouwde boekenplanken kun je verzamelingen of decoratief serviesgoed kwijt dat voor een gastvrije sfeer zorgt.

Deze voormalige ontvangstkamer is nu een stijlvolle, ruime eetkamer met een klassiek interieur. Met behulp van wisselende accenten is deze kamer geschikt voor zowel een gezellig etentje bij de open haard als een stijlvol diner.

■ EEN MAHONIEHOUTEN DRESSOIR biedt plaats aan de wijnvoorraad; bovenop worden kaas en wijn geserveerd. In lege wijnflessen zijn menukaartjes gezet met daarop de naam van kaassoort die goed samengaat met de betreffende wijn.

■ MET LINNEN TAFELLOPERS ziet de tafel er verzorgd uit, zonder dat het te formeel wordt met een chic tafellaken. Bijkomend voordeel is dat het hout zichtbaar blijft.

■ DE COMBINATIE VAN LEREN FAUTEUILS en de linnen hoezen van de stoelen schept de sfeer van een ouderwetse sociëteit.

■ EEN WEELDERIG BOEKET midden op tafel logenstraft de schijnbare soberheid.

■ OP DE SCHOUW EN DE PLANKEN van de ingebouwde muurkast staan kunstvoorwerpen, familiefoto's en verzamelobjecten die de eetkamer een persoonlijk karakter geven.

Eten in een open woonkamer

Een grote woonkamer biedt allerlei mogelijkheden om op een creatieve manier gasten te ontvangen. Bestem een deel van de ruimte tot eethoek en kleed die aan met warme, gastvrije accenten.

Als je één grote woonkamer hebt, biedt dat de unieke mogelijkheid om 'afzonderlijke ruimtes' te creëren op de plek waar jij dat wilt. Ook zonder vier omringende muren valt er een originele eethoek te maken door een slimme plaatsing van de meubels.

De eenvoudigste manier om een eethoek af te bakenen is een kleed neerleggen en daarop tafel en stoelen zetten. Zorg dat het kleed zo groot is dat de stoelen ook bij het verschuiven op het kleed blijven. Een kast om serviesgoed en tafellinnen op te bergen kan de ruimte nog verder afbakenen. Een bar, buffetkast of zijtafel kan fungeren als 'muurtje' tussen eet- en zitgedeelte.

HET GEHEIM VAN DEZE RUIMTE

Deze eetkamer met warme kleuren en veel textuur in een hoek van een open woonruimte biedt alle comfort en stijl van een traditionele eetkamer.

■ DE RUIMTE WORDT AAN ÉÉN KANT afgegrensd door een lage buffetkast. De spiegelwand contrasteert prachtig met de bakstenen muur en geeft het geheel een open karakter.

■ DOOR DE VERSCHEIDENHEID AAN TEXTUREN is dit een boeiende en oogstrelende eetkamer: een kleurige doek als tafelkleed, linnen hoezen over de stoelen met een geplooide zoom, een kleed met een geometrisch dessin en glanzend tafelgerei.

■ INGEBOUWDE SCHAPPEN achter nissen in de bakstenen muur vormen een soort open 'servieskast', waarin tegelijk plaats is voor kunstvoorwerpen.

■ DANKZIJ DE OPEN KAST zijn serviesgoed en bestek binnen handbereik, waardoor het tafeldekken in een ommezien gebeurd is.

OPNIEUW DE EETKAMER DEFINIËREN

Klassieke allure in een nieuw jasje

Het wordt tijd om de definitie van 'klassiek' te herzien. Poets een beproefde formule op door uit te gaan van eigentijdse ideeën.

Het traditionele eetkamermeubilair bestaat uit zes of acht stoelen rond een tafel, gecompleteerd door een buffet of servieskast. Dat concept zegt niets over hoe die meubels eruit moeten zien of hoe de tafel gedekt dient te worden. Bekijk de formule met nieuwe ogen en pas het klassieke concept aan moderne normen aan.

Sommige mensen zetten hun bijzondere en dierbare spullen in andere kamers van het huis, maar juist in een eetkamer zijn ze meer dan welkom omdat je er dan tijdens het eten naar kunt kijken. Maak plaats voor een verzameling oud zilver of serviesgoed en gebruik de muren om foto's of prenten op te hangen. Houd de tafel eenvoudig, met strakke couverts en een stijlvolle tafelversiering. Combineer mooi antiek met strak, modern design – bijvoorbeeld hotelzilver met eenvoudig wit servies.

Verlichting

De vuistregels voor verlichting in de eetkamer zijn eenvoudig: indirect licht is altijd beter dan direct licht, lamp-
en kaarslicht moeten de gasten flatteren, en de lichtsterkte
moet gevarieerd kunnen worden. Ontwerp een veelzijdig
verlichtingsplan waarmee de hoeveelheid licht kan worden aangepast aan het uur van de dag of de gelegenheid.

Een combinatie van sfeerlicht en werklicht is het meest
geschikt voor boven een tafel omdat daar ook vaak andere
dingen worden gedaan dan eten. Een klassieke of moderne
kroonluchter is het meest gebruikelijk voor sfeerverlichting; hanglampen, spotjes in het plafond en wandlampen
kunnen voor een combinatie van sfeer- en werkverlichting zorgen. Met een dimschakelaar is de hoeveelheid licht
te regelen en te variëren. Accentverlichting zorgt voor bijzondere effecten: laat kunstvoorwerpen, snuisterijen en
bouwkundige details extra tot hun recht komen met spotjes of schilderijlampjes en zet kaarsen neer om de sfeer te
verhogen. De soort verlichting bepaalt voor een belangrijk deel de sfeer. Waxinelichtjes staan informeel, terwijl
lange, slanke kaarsen stemmiger zijn.

Een hanglamp op de juiste hoogte, *rechts,* geeft licht op tafel zonder
dat het in de ogen van de gasten schijnt. De lamp moet passen bij
het formaat van de tafel en je moet eronderdoor kunnen kijken.

ZO DOE JE DAT: EEN HANGLAMP KIEZEN

Welke maat hanglamp past het best
bij je tafel? Meet bij een ronde tafel
de diameter, bij een rechthoekige tafel de breedte en trek daar 30 cm af
om het formaat van de lamp te bepalen. Als je tafel bijvoorbeeld 105 cm
breed is, moet je lamp een diameter
van 75 cm hebben. Deze eenvoudige
vuistregel zorgt ervoor dat de lamp
nooit te groot of te klein is in verhouding tot de tafel. Een goede lamp is
aan alle kanten 15 cm kleiner dan de
tafel.

Het ophangen van een lamp
Als het plafond 2,4 meter hoog is,
moet de onderkant van de lamp
75 cm boven de tafel hangen. Heb
je een hoger plafond, hang de
lamp dan 8 cm hoger voor elke 30
cm extra plafondhoogte. De lamp
moet midden boven de tafel hangen, ook als daar niet de contact-
doos zit. Gebruik een decoratieve
ketting om de stroom-
draad naar de lamp te leiden, zodat die recht
boven de tafel hangt.

8' (2.4 m)

30" (76 cm)

Hanglampen, *rechts*
Hanglampen zorgen in deze keuken voor direct licht op het werkvlak en de ontbijtbar. Omdat ondoorschijnende kappen het licht niet verspreiden, zijn meerdere lampen nodig om de ruimte egaal te verlichten.

Tafellampen, *uiterst rechts*
Een evenwichtige verlichting is van belang in de eetkamer om zowel de tafel als de rest van de ruimte te verlichten. Gewoonlijk zorgen wandlampen voor licht bij een kast, maar soms is het lastig of duur om daar elektriciteit aan te leggen. Tafellampen op bijzettafeltjes en voorzien van een dimschakelaar vormen een mooi en praktisch alternatief.

Kaarsen, *rechts*
De kaarsen op deze ronde lamp zijn verschillend van lengte en vormen een bijzondere, informele hanglamp. Zulke hanglampen zijn ook verkrijgbaar in een elektrische versie die kaarslicht imiteert.

Kroonluchter, *uiterst rechts*
Een kroonluchter kan een gedistingeerde of een fantasievorm hebben; welke vorm je kiest, is een kwestie van je eigen smaak en voorkeur. Kroonluchters hoorden vroeger thuis in statige eetzalen, maar worden tegenwoordig ook steeds meer toegepast in gewone eetkamers. Dikwijls is daarnaast nog aanvullende verlichting nodig van spotjes, wandlampen of staande lampen.

Houten stoelen

Praktische houten stoelen zijn er in allerlei varianten. Houtsoort en afwerking bepalen de stijl van het interieur; geverfde houten stoelen zijn het meest informeel. Zitkussentjes geven extra comfort en zorgen voor kleur en dessin.

Armstoelen

Deze comfortabele stoelen nodigen uit tot lang na-tafelen; je kunt achteruit leunen, je armen laten rusten en genieten van koffie en dessert. Armstoelen worden dikwijls aan beide uiteinden van de tafel gezet, maar dat is geen wet van Meden en Perzen. Belangrijk is dat de armleuningen onder de tafel passen.

Losse bekleding

Ook losse bekleding van stof biedt de mogelijkheid om kleur en dessin te introduceren in een ruimte met overwegend harde oppervlakken. Met losse bekleding kan de eetkamer er ook steeds anders uit-zien. De bekleding kan per seizoen of per gelegenheid – chic of informeel – wor-den gewisseld en gemakke-lijk worden gewassen.

Stoffering

Stoelen die met stof of leer zijn bekleed, bieden ouderwets comfort en zien er degelijk uit. Ze passen in vrijwel elk interieur. De meeste stoelbekleding vergt weinig onderhoud; leer is duurzamer en tegenwoordig bestand tegen vlekken, zodat het lang mooi blijft.

Stapelbare stoelen

Lichtgewicht stoelen zijn uitermate praktisch, zowel voor informele bijeenkom-sten als voor etentjes, zijn gemakkelijk te verplaatsen en stapelbaar, waardoor ze niet veel ruimte innemen. Stapelbare stoelen vormen een modern accent in een traditionele eetkamer.

Klassieke stoelen

Klassieke Amerikaanse stijl-vormen zoals Windsor-stoelen (hier afgebeeld), stoelen met een lattenrug en Hitchcockstoelen geven een kamer een traditionele uitstraling. De gebogen lij-nen van Windsorstoelen verzachten de geometri-sche vorm van een recht-hoekige eettafel; het een-voudige ontwerp van een stoel met lattenrug zorgt voor hoogte, en door het kleine formaat zijn Hitch-cockstoelen erg praktisch.

Zitmogelijkheden

Een geslaagde eetkamer is zowel comfortabel als mooi om te zien. Kies voor een ideale, informele eethoek om te beginnen een grote tafel die voor allerlei bezigheden – inclusief eten en werken – bruikbaar is en zoek daarbij stoelen die in verhouding staan tot het formaat van de eetkamer. Om prettig te zitten met voldoende elleboogruimte is per persoon een breedte van ten minste 60 centimeter nodig.

Terwijl een standaard eethoek van tafel met bijbehorende stoelen een samenhangend geheel vormt, biedt de combinatie van modern met antiek – of van een houten tafel met rieten, geverfde, leren of van losse hoezen voorziene stoelen – meer vrijheid om je eigen stijl te volgen. De combinatiemogelijkheden zijn eindeloos, maar zorg dat er voldoende ruimte is om de stoelen te verschuiven en bedenk dat de positie van de tafelpoten bepaalt hoeveel stoelen er kunnen staan. Een tafel met een poot in het midden geeft meer variatiemogelijkheden dan een tafel met vier poten.

Lange banken met zitkussens, *links,* vormen een originele vervanging van de gebruikelijke eettafelstoelen. De witgeverfde stoelen aan beide uiteinden van de gezellig gedekte tafel ronden de opstelling af en geven deze eetkamer een ongedwongen, informeel karakter.

ZO DOE JE DAT: HOE GROOT MOET JE EETTAFEL ZIJN?

Welk formaat eettafel past er in je eetkamer? De optimale grootte is gemakkelijk te berekenen. Ga uit van de maten van de eetkamer.

Het opmeten

Teken een plattegrond waarop je lengte en breedte van de eetkamer aangeeft, evenals de plaats van deuren en ramen, want die zijn van invloed op de positie van de meubels. Bepaal waar een dressoir of een andere kast komt te staan en reken op een diepte van 60 cm. Ga na hoe mensen door de kamer lopen en reken op een 1,2 meter brede doorgang. Houd ten minste 90 cm loopruimte vrij vanaf de wanden en overige meubels, zodat stoelen zonder probleem verschoven kunnen worden. De ruimte die in het midden overblijft, bepaalt het formaat van je tafel.

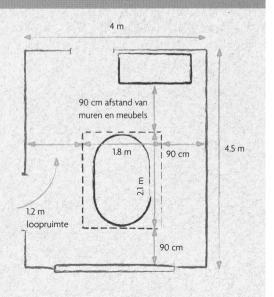

4 m

90 cm afstand van muren en meubels

1.8 m

2.1 m

90 cm

4.5 m

1.2 m loopruimte

90 cm

Het geheim van gasten ontvangen – en daarvan genieten – is: leren om het jezelf gemakkelijk te maken. Als je een vaste methode hebt ontwikkeld om een feestje gesmeerd te laten verlopen, kun je spontaner te werk gaan dan wanneer je telkens opnieuw moet improviseren. Ook zul je dan vaker een etentje geven. Voorop staat dat je gasten een feestelijk gevoel wilt geven en dat kost niet veel tijd of moeite. Besteed vooral aandacht aan details die een feest onvergetelijk maken. Feestjes zijn hét moment om antiek tafelzilver en tafellinnen voor de dag te halen, of om de ta-

GASTEN
ONTVANGEN IN STIJL

GOEDE VRIENDEN, HEERLIJK ETEN EN EEN SMAAKVOLLE OMGEVING ZIJN ESSENTIEEL ALS ER IETS TE VIEREN VALT, MAAR SPECIALE ZORG EN VERRASSENDE DETAILS GEVEN EEN FEESTJE ALLURE.

fel te dekken met een vrolijk kleed en kleurige bloemen. Zet overal in de kamer brandende kaarsen of lichtjes neer en glaswerk waarin het licht weerkaatst. Kleine extra's als handgeschreven menukaartjes of een feestelijke corsage bij elk couvert markeren het begin van een bijzondere gelegenheid. Een originele versie daarvan – naamkaartjes gemaakt van foto's, bagagelabels of minischoolbordjes en servetringen van kralen, knopen of grashalmen – geeft een tafel iets bijzonders. Zulke fantasievolle details geven je feestje een persoonlijk karakter.

Praktische oplossingen

De beste eetkamers zijn een combinatie van verrassende en praktische oplossingen en lenen zich zowel voor een stijlvol diner als voor een gezellig feestje.

Als je veel op te bergen hebt, kun je dat soms het best zichtbaar doen. Open kasten zijn niet nieuw, maar kunnen vooral in een eetkamer heel effectief zijn omdat veel serviesgoed en glaswerk zo mooi en decoratief zijn dat ze op zich al een verrassend effect hebben. Sommige mensen laten de tafel waar ze dagelijks aan eten altijd gedekt, om hun huisgenoten te stimuleren daar bij elkaar te gaan zitten in plaats van voor de tv.

Een wand met schappen van vloer tot plafond waarop serviesgoed, glaswerk en schalen staan uitgestald is uiterst decoratief en bovendien buitengewoon praktisch omdat alles binnen handbereik is tijdens een feestje. Installeer op een plek waar niemand er last van heeft een bar en zet daarop wijnglazen, longdrinkglazen, flessen met drank, karaffen en servetten. Denk ook aan de verlichting: een juiste combinatie van sfeerlicht, werklicht en decoratieve accentverlichting is essentieel voor een sfeervol diner bij avond.

HET GEHEIM VAN DEZE RUIMTE

De combinatie van informele meubels, een chic gedekte tafel en een bijzondere manier van opbergen geven deze eetkamer iets grootstedelijks.

■ ZWARTE MUREN geven deze ruimte een bistroachtige uitstraling, en glazen, het witte serviesgoed en tafelzilver steken er prachtig tegen af.

■ SCHOOLBORDVERF op een deel van de muur is leuk om het menu te tonen.

■ IN EEN VAN SPIEGELS VOORZIENE BUFFETKAST wordt het principe van de zichtbare opstelling als decoratief element doorgezet, en dat geeft de ruimte een bijzonder cachet.

■ LICHT OP VERSCHILLENDE NIVEAUS: hanglampen met dimschakelaar, getemperd licht op de planken en de victoriaanse kast en waxinelichtjes op tafel. Het effect van het kaarslicht wordt versterkt door weerkaatsing in glazen en spiegels.

Deze open ruimte met schitterend uitzicht vormt een unieke ruimte om gasten te ontvangen omdat er plek genoeg is voor een buffet met hapjes en drankjes en alle gelegenheid tot gezellige gesprekken.

■ DE BUFFETTAFEL wordt zo neergezet dat de gasten er aan alle kanten bij kunnen om zich te bedienen.

■ OP EEN LAGE INGEBOUWDE BOEKENKAST is naast de buffettafel een zelfbedieningsbar ingericht.

■ COMFORTABELE ZITJES zijn overal in de kamer en op de veranda gemaakt. Grote fauteuils en een bank flankeren de open haard.

■ DE BORDEN staan aan het ene uiteinde van het buffet, aan het andere ligt het bestek, zodat het opscheppen soepel verloopt.

■ IN SERVETTEN GEROLD BESTEK is gemakkelijker mee te nemen naar een comfortabele stoel dan losse messen en vorken. Bind om het geheel een mooi lintje.

■ MINIATUURSPEELKAARTEN met een touwtje aan de glazen gebonden helpen gasten onthouden uit welk glas zij drinken.

Lopend buffet

Een maaltijd in de vorm van een lopend buffet is een van de beste manieren om een groot aantal gasten te ontvangen. De sleutel tot succes is de ruimte zo inrichten dat mensen zich vrij kunnen bewegen.

Bijna iedereen heeft wel eens iets te vieren, waarbij meer gasten komen dan er aan de eettafel passen. De eenvoudigste oplossing is dan een lopend buffet in de grootste kamer van het huis – en dat hoeft niet altijd de eetkamer te zijn. Een lange, brede tafel is meestal het meest geschikt, vooral als hij zo gedekt wordt dat er voldoende ruimte is om schalen met eten en serviesgoed neer te zetten. Zorg dat er ruimte rond de tafel is zodat de gasten zich vrij kunnen bewegen. Zet de tafel bij voorkeur zo neer dat iedereen zich aan beide kanten zelf kan bedienen. Creëer zitjes zodat de gasten zich mengen en haal zo nodig stoelen uit andere kamers en bijzettafeltjes om glazen en borden op te zetten.

Een feestelijke tafel

Met wat inventiviteit kun je ook thuis een groot
diner geven. Het vergt alleen een slimme aanpak
en een origineel gevoel voor stijl om voldoende
zitruimte te creëren.

Misschien is het een afschrikwekkende gedachte om een
groot diner te organiseren, maar het is volstrekt niet onmogelijk om een groot gezelschap stijlvol te laten tafelen.
Ga na welke ruimte in huis in een tijdelijke eetkamer te
veranderen zou zijn – misschien een deel van de zitkamer,
of een ruime hal. Voor een groot gezelschap is natuurlijk
een lange tafel nodig. Een prima oplossing is het tegen elkaar aan schuiven van meerdere tafels en die als één geheel te dekken, maar je kunt ook een tafel huren. Of stap
af van het idee van één grote tafel en dek een aantal kleine
tafels; dat geeft een ongedwongen, bistroachtige sfeer.
Leen houten stoelen uit andere kamers en zet die tussen
de eetkamerstoelen of huur het aantal benodigde stoelen.

HET GEHEIM VAN DEZE RUIMTE

Een feestelijk gedekte tafel, bestaande uit meerdere vierkante tafels, vult
de hele kamer zonder dat die overvol
lijkt. Omdat de tafel smal is, neemt hij
minder ruimte in dan je zou verwach-
ten.

■ DOOR DE COMBINATIE VAN VERSCHIL-
LENDE STOELEN is er voor iedereen plaats
en ontstaat er een informele sfeer.

■ IN DE AANGRENZENDE KAMER is gedekt
voor het dessert, zodat de gasten na de
hoofdmaaltijd van plaats kunnen wisselen.

■ SPECIALE ATTENTIES heten de gasten
welkom. Kersen van Venetiaans glas sieren
het menu, en aan elke stoel is een cadeau-
tasje gebonden. Polaroidfotootjes die bij
aankomst van de gasten worden gemaakt
geven de tafelschikking aan. Halve flesjes
champagne, geserveerd in een eigen bakje
ijs, vormen een speels accent.

■ DE VROLIJKE OMGEVING brengt iedereen in een feestelijke stemming. Een linnen tafelkleed zorgt voor een informele
sfeer, net als de lange bloemenslingers,
hier gemaakt van witte anjers.

EEN TAFELVERSIERING VAN BLOEMEN ONTSTAAT BIJNA VANZELF ALS JE JE LAAT INSPIREREN DOOR EEN MOOIE VAAS EN DE KEUS VAN DE BLOEMEN EENVOUDIG HOUDT.

Een melkkannetje, *linksboven*, met een bloem erin bij elk couvert laat zien dat bloemen niet altijd midden op tafel hoeven te staan. Deze persoonlijke bloemenhulde vormt een leuke manier om gasten een prettig gevoel te geven. Hier maakt het kannetje bovendien de tafelschikking duidelijk omdat de naam van de gast erop geschreven is. Na het etentje kan iedereen dit aandenken meenemen.

Papieren zakken, *links*, zijn allesbehalve prozaïsch als ze in verschillende felle kleurtjes worden geschilderd. De zakjes verhullen een ratjetoe aan vaasjes. In elk ervan staat een boeketje bloemen en de kleur van het zakje stemt overeen met die van de bloemen erin zonder te overheersen.

In een lang smal bakje, *boven*, komt de eenvoud van tulpen goed tot zijn recht. Het lage model van deze vaas zorgt voor kleur op tafel zonder de gasten het zicht op elkaar te ontnemen. Het is ook een stijlvolle versiering voor een schouw of sidetable. Met bloemen van één soort bereik je met een minimum aan moeite vaak een groots effect.

De grote bolvormige bloemen van uien, *rechts*, in hoge glazen vazen vormen een eenvoudige maar opvallende tafelversiering. Leg voor een evenwichtige kleurverdeling ook wat stengelloze bloemen op tafel. Glazen kiezels, meestal gebruikt als vulling in vazen, fungeren hier als een lichtreflecterende tafelloper.

Een van de beelden van thuis die het langst in de herinnering blijven, is dat van het hele gezin rond de eettafel, lachend en pratend tijdens een met aandacht bereide maaltijd. Het is dan ook niet vreemd dat de eettafel in veel huizen de populairste plek is. Hier speelt het leven van alledag zich af, wordt alles besproken en vinden we een van de weinige plekken in ons drukke bestaan om elkaar te ontmoeten, bij elkaar te zijn en grote en kleine gebeurtenissen te vieren. Ongeacht of je een kleine eetkeuken hebt of een ruime eethoek in de woonkamer, zorg dat iedereen

TAFELDEKKEN VOOR
HET GEZIN

DE EETKAMER VORMT DIKWIJLS HET GEZELLIGE MIDDELPUNT IN HUIS. MAAK ER EEN PLEK VAN DIE VOORZIET IN JE BEHOEFTEN EN JE INTERESSES WEERSPIEGELT, EN ZOWEL JE HUISGENOTEN ALS JE VRIENDEN ZULLEN ZICH ER PRETTIG VOELEN.

zich thuis voelt in de ruimte waar gegeten wordt, dat hij naar jullie smaak en interesse is ingericht en dat hij zowel voor feestelijke bijeenkomsten als voor het bijwerken van de boekhouding of het doen van een spelletje geschikt is. Solide meubilair is hier op zijn plaats. Kies meubels die tegen een stootje kunnen en serviesgoed dat ook bij feestelijke gelegenheden gebruikt kan worden. Geef de kamer de aandacht die hij verdient door hem in te richten met dierbare spullen en zorg voor een persoonlijke en warme sfeer met verzamelingen en kunstvoorwerpen. Dek de tafel eens anders en gebruik kleuren al naargelang het seizoen, zodat je eetkamer telkens een nieuwe aanblik biedt.

Bijzondere dagen

Dek de tafel voor een maaltijd met familie en vrienden extra feestelijk met kleurige, snel te maken versieringen en bijpassende accenten.

Een speciale tafel voor een feestelijke familiebijeenkomst hoeft absoluut niet formeel te zijn of veel moeite te kosten. Bedenk welke versiermogelijkheden het seizoen biedt. Begin met couverts in wit of een andere neutrale tint, die perfect te combineren zijn met servetten, tafellakens en glazen in de kleur van het seizoen.

Zowel bij herfstige aardetinten als bij zachte voorjaarskleuren past een centrale tafelversiering van wat het seizoen te bieden heeft. Schik losse boeketten van bloemen en kruiden, of maak gebruik van kalebassen, bessen en takken. Kaarsen zijn altijd prachtig en wijnglazen bij elk bord staan extra feestelijk.

HET GEHEIM VAN DEZE RUIMTE

Deze tafel is gedekt voor een bijzondere gelegenheid, waar de prachtige herfstkleuren naar verwijzen. De aankleding is eenvoudig, maar de kleurige accenten en uitgekiende versieringen zorgen voor een feestelijke sfeer.

■ HET EENVOUDIGE WITTE SERVIES biedt eindeloze variatiemogelijkheden. Gecombineerd met kleurige accenten geeft het elk kleurschema een frisse uitstraling.

■ EEN FRAAI HERFSTARRANGEMENT met pompoenen en bessen van de alfrank is gecombineerd met een groep blokkaarsen. De takken met bessen komen terug in het buffet.

■ EEN EIGEN TAFEL VOOR DE ALLERKLEINSTEN geeft hun een speciaal gevoel. Kinderen kunnen aan hun eigen versie van de grotemensentafel zitten, die gedekt is met onbreekbaar servies, schetsboeken bij wijze van placemats en een verzameling kleurpotloden als decoratie.

■ ORIGINELE NAAMKAARTJES stimuleren het gesprek en de gezelligheid, vooral als ze deel uitmaken van een spelletje of andere activiteit na het eten.

Deze eetkeuken is een ideale plek om gedurende de dag bij elkaar te zitten. De gezellige omgeving nodigt vrienden en huisgenoten uit om een stoel te pakken en even lekker te gaan zitten.

■ **DE ZITBANKEN** roepen de gedachte op aan buiten eten rond een picknicktafel – en zijn erg handig voor kinderen omdat ze er snel op en af kunnen. Rieten stoelen maken het geheel compleet.

■ **EEN WITTE EETHOEK** in combinatie met frisse kleuren en veel groene planten geeft deze ruimte een lichte, heldere sfeer die aansluit op de omringende tuin.

■ **OVERAL HANGEN OF STAAN DIERBARE VOORWERPEN**, hét bewijs dat favoriete herinneringen en verzamelobjecten hier in de eerste plaats komen.

TAFELDEKKEN VOOR HET GEZIN

Een veilige haven

In een informele, gezellig ingerichte woonkeuken voelt iedereen zich op elk moment van de dag prettig en welkom.

Een woonkeuken is zowel voor huisgenoten als voor vrienden aantrekkelijk. Hij is ideaal voor gezinnen omdat de kinderen huiswerk kunnen maken (en hulp kunnen vragen) terwijl de ouders aan het koken zijn, voordat er tafel moet worden gedekt. Ook voor een gezellig etentje is een woonkeuken een uitstekende plek, omdat gasten toch altijd aangetrokken worden tot een keuken waar alle ruimte is om even met de kok te zitten praten.

Maak de woonkeuken zo gezellig mogelijk. Ga bij de inrichting even zorgvuldig te werk als bij een 'officiële' eetkamer, maar benadruk het informele karakter. Laat zien dat het gezin hier 'centraal' staat, door een plekje in te ruimen voor dierbare voorwerpen en souvenirs een plekje te geven die uitnodigen tot commentaar en het ophalen van herinneringen. Vrolijk de ruimte op met verzamelingen en gezamenlijke schatten: een verzameling aardewerk, kindertekeningen, tijdens een strandwandeling verzamelde schelpen, souvenirs van gezamenlijke uitstapjes.

Opbergen

Van mooi serviesgoed kun je heel lang plezier hebben als het met zorg wordt behandeld. Dat betekent niet dat je er een dagtaak bij krijgt. Als je een paar eenvoudige basisregels in acht neemt, zullen borden, schalen, glaswerk en dekschalen generaties lang meegaan.

Mooi serviesgoed dat zichtbaar wordt uitgestald in een open kast is niet alleen decoratief, maar ook altijd direct bij de hand. Het alternatief is wegzetten in een gesloten servieskast. In beide gevallen vergt het opbergen de nodige zorg. Omdat serviesgoed breekbaar is, moet het niet torenhoog opgestapeld worden en om beschadiging te voorkomen is een veilig inpak- of opbergsysteem onmisbaar. Tafelgerei dat dagelijks wordt gebruikt, zoals borden, bestek en stevige drinkglazen, hoeft niet al te omzichtig opgeborgen te worden, want dat is alleen maar onhandig. Kostbaardere spullen zoals een porseleinen servies, kristal, wijnglazen en tafelzilver verdienen een speciale behandeling.

Een open schappenwand, *rechts,* verandert deze hal in een moderne versie van een provisiekamer. De planken zijn verstelbaar en op sommige ervan staan manden voor tafellinnen en bestek. De manden op de hoogste plank bieden plaats aan weinig gebruikte spullen.

ZO DOE JE DAT: HET OPBERGEN VAN SERVIESGOED

Als het feest voorbij is en je mooiste servies, tafellinnen en bestek weer in de kast verdwijnen, is het aan te bevelen om een paar regels in acht te nemen bij het opbergen van spullen die je niet vaak gebruikt.

Voor het veilig bewaren van breekbaar porselein zijn gewatteerde hoezen met ritssluiting verkrijgbaar in verschillende maten. Je kunt ook zelf opbergdozen maken door ze te bekleden met noppenfolie en met karton in vakken te verdelen. Op die manier berg je sauskommen, soepterrines en andere lastige stukken serviesgoed veilig op. Gebruik zuurvrij karton. Vilt en schuimplastic zijn ideaal om porseleinen borden te beschermen. Er zijn speciale matjes te koop om tussen de borden te leggen, maar je kunt ook zelf van vilt of schuimplastic rondjes knippen en die ertussen leggen.

■ PORSELEINEN BORDEN mogen niet in de vaatwasser; was ze met een mild afwasmiddel (zonder bleekmiddel of citroengeur) voordat je ze opbergt en — ook als ze niet worden gebruikt — eens per jaar. Stapel borden nooit hoger op dan 20 cm.

■ MOOI LINNENGOED moet liggend worden bewaard, gewikkeld in zuurvrij papier en liever opgerold dan opgevouwen om permanente vouwen en kreukels te voorkomen.

■ ZILVER kan het best worden bewaard in laden die bekleed zijn met speciale stof tegen het dof worden, of in zuurvrij papier worden gewikkeld (nooit in plastic, wol, vilt, krantenpapier of zeemleer) en opgeborgen in polyethyleen zakken.

■ WAS KRISTAL EN GLAS met de hand af in een warm sopje van een mild afwasmiddel. Zet de glazen rechtop op planken of in gewatteerde dozen.

Op schappen, *uiterst links*
Een aantal ondiepe schappen op een zodanige afstand van elkaar dat de glazen ertussen passen en er nog 3 cm ruimte over is, vormt praktische bergruimte. Zet kristallen glaswerk altijd rechtop.

Hangende glazen, *links*
Wijnglazen en ander glaswerk moeten voorzichtig worden opgeborgen. Door wijnglazen omgekeerd op te hangen in een rek aan de muur voorkom je dat er stof in komt.

Zichtbaar opgeborgen
Ordelijk gerangschikte rijen glazen, borden en theekoppen kunnen heel decoratief staan in een kamer als ze worden opgeborgen in een porseleinkast of in muurkastjes met glazen deurtjes. Zichtbaar opbergen kan heel aantrekkelijk zijn omdat veel serviesgoed erg mooi van vorm is. Ingebouwde kasten op maat kunnen plaats bieden aan bijzondere of kostbare stukken.

Open opstelling
Op 'vrij hangende' schappen boven een buffetkast staan de spullen voor dagelijks gebruik binnen handbereik en wordt een lopend buffet voor grotere gezelschappen een stuk gemakkelijker. Combineer je serviesgoed met een of twee bijzondere souvenirs, zodat je bergruimte tegelijk een decoratief element in je eetkamer vormt.

Zilveren bestek, *rechts*
Zilveren bestek dat opgeborgen wordt in opgerolde en samengebonden etuis van speciale stof die dof worden tegengaat, maakt het tafeldekken eenvoudiger.

Bestek, *uiterst rechts*
Bestek van roestvrij staal en andere materialen dat dagelijks wordt gebruikt, kan eenvoudig in glazen houders of mooie potten worden bewaard.

Buiten lijkt alles beter te smaken. Profiteer daarvan door een uitnodigende tafel te dekken op het terras, op het gras onder de bomen, op een binnenplaats of aan de rand van het zwembad. Buitenfeestjes zijn ideaal omdat je zowel van de voorbereiding als van het eigenlijke feest kunt genieten. De aankleding laat je over aan Moeder Natuur, zodat jij je kunt concentreren op de rekwisieten die het natuurlijke decor aanvullen – comfortabele stoelen, een schitterend gedekte tafel en sfeervolle verlichting. Zowel

BUITEN
ETEN

ETEN OP HET TERRAS, OP EEN HEUVEL OF AAN HET WATER IS HEERLIJK. LAAT HET DECOR AAN DE NATUUR OVER EN NEEM ZELF HET COMFORT VOOR JE REKENING.

een klein balkonnetje in de stad als een groot terras biedt de mogelijkheid om 's zomers zo veel mogelijk buiten te eten. Begin met het kopen van meubels die weerbestendig zijn. Er is tegenwoordig volop keus in materialen en stoffen die tegen de regen kunnen, zodat je buiten van hetzelfde stijlvolle zitcomfort kunt genieten als binnenshuis zonder bezorgd te zijn over de weersvoorspellingen. Vervolgens dien je de gerechten op in de vorm van een lopend buffet of direct in schalen op tafel, waarbij je de gasten vraagt om die zelf door te geven; zo ontstaat er een gezellige, ontspannen sfeer (en bespaar je jezelf veel werk). Als er nieuwe gezichten in het gezelschap zijn, is er geen betere manier om het gesprek gaande te houden.

Een tafel aan het water

Er gaat niets boven eten aan het water op een zomerse dag. Maak het niet te ingewikkeld, met een simpel gedekte tafel en serviesgoed dat tegen een stootje kan.

Eten aan het water is een regelrechte uitnodiging aan gasten – en gastvrouw – om zich vooral te ontspannen. Blijf in stijl met de informele omgeving als het tijd is om de tafel te dekken. Houd het simpel met een vrolijk, dun (en wasbaar) katoenen kleed en servetten, en gebruik serviesgoed en glazen van een goede kwaliteit kunststof.

Een van de beste manieren om een etentje buitenshuis informeel te houden is een lopend buffet. Zet een extra tafel buiten en zet daarop de gerechten en de drank en gebruik schalen en borden die tegen een stootje kunnen. De ideale plaats is in de buurt van een keukenraam, dat de kok kan gebruiken als doorgeefluik voor een heerlijke maaltijd.

HET GEHEIM VAN DEZE RUIMTE

Een vlonder aan het water met daarop een eethoek die tegen een stootje kan, vormt een heerlijke plek voor een zomerse maaltijd. De blokhutstijl is comfortabel en informeel, en nodigt iedereen uit om zich te ontspannen en te genieten.

■ WEERBESTENDIGE MEUBELS kunnen buiten blijven staan en zijn direct klaar voor gebruik, zowel om gezellig te eten als voor een spelletje.

■ HET ROOD-WITTE KLEURENSCHEMA in effen, gestreepte en geruite stof staat vrolijk en vormt een pittig accent tussen al het groen.

■ INFORMELE ACCESSOIRES zoals kussens van bedrukt katoen en vrolijk gestreepte dekens zorgen voor comfort in de stevige, praktische stoelen. Keukendoeken fungeren als servet.

■ EEN VENSTERBANK ONDER HET RAAM, gemaakt van een oud uithangbord, vormt een handig dienblad. De kok kan het eten door het raam aangeven zodat de gasten zich zelf kunnen bedienen. Ook het afruimen wordt een stuk gemakkelijker.

BUITEN ETEN

Dineren aan het zwembad

Een paviljoen of patio vormt een uitgelezen
plekje voor zomerse maaltijden. Zet een kleurig
gedekte tafel bij het water en je gasten zullen
uren blijven natafelen.

Als je in het gelukkige bezit bent van een zwembad, is een
eetruimte in een paviljoen of op een patio aan de rand van
het zwembad de perfecte plek voor een heel seizoen van
buiten eten. In zo'n verleidelijke omgeving hoef je niet
moeilijk te doen; houd de zaken simpel zodat je meer tijd
kunt besteden aan je gasten.

Begin met het dekken van een zomerse tafel voor een bar-
becue of een soort strandpicknick. Stevige rieten stoelen
zijn tegenwoordig in allerlei kleuren verkrijgbaar en hebben van nature al een zomerse uitstraling. Schik ze rond de
tafel en maak ze comfortabel met vochtbestendige zitkussens en losse rugkussens. Roep de sfeer van strand en zee
op door de tafel te dekken met blauw-wit gestreept tafellinnen. In de zomerzon doen blauwe accenten van meubels en servies denken aan de zee en het diepe blauw van
de hemel bij zonsondergang. Houd een grote parasol achter de hand als je geen overdekte patio hebt om je gasten te
beschermen tegen te felle zon of een zomerse bui.

Eten in landelijke stijl

Geef een etentje buitenshuis een bijzonder karakter door alles in landelijke stijl te houden.

Als je de perfecte plek hebt gevonden om een zonnige middag met vrienden door te brengen, bepaal dan aan de hand van die plek in welke stijl je het etentje zult geven. Als je een stijl kiest die past bij de omgeving, is het eenvoudiger om er een onvergetelijke gebeurtenis van te maken. Houd bij de tafelversiering rekening met de aard van de maaltijd: gaat het om een ongedwongen herfstlunch of om een stijlvolle cocktailparty op het gazon? Pluk bloemen, bladeren en takken uit de tuin en versier daarmee de tafel. Zoek eens andere zitmogelijkheden dan de stoelen uit de eetkamer. Als je in het park gaat lunchen, kun je een tafeltje voor een bankje zetten; dek je achter een schuur, leg dan hooibalen neer om op te zitten.

HET GEHEIM VAN DEZE RUIMTE

Een eettafel in landelijke stijl in de zon achter een schuur, volledig in harmonie met de omgeving. Alles, van de zitgelegenheid en het tafelkleed tot de boeketten op tafel, is geïnspireerd op wat de directe omgeving te bieden heeft.

■ HOOIBALEN om op te zitten flankeren de lange tafel; de verfkwasten vormen een grappige kleerborstel om losse strootjes te verwijderen.

■ HET JUTEN TAFELKLEED is groot genoeg om ook de poten van een gehuurde klaptafel te bedekken. Een smalle loper van grof linnen vormt de ondergrond van de boeketten en kleine keukendoeken fungeren als servet.

■ KLEINE DETAILS IN STIJL, zoals een kruiwagen met ijs en stallantarens aan harken zorgen voor een vrolijke noot. De tafelversiering bestaat uit grote bossen wilde bloemen, plompverloren in een glazen vaas gezet.

■ DOZEN VAN DE TRAITEUR fungeren als servies en maken het opdienen en afruimen eenvoudig.

ORGANISEER EEN PICKNICK IN STIJL MET
EENVOUDIGE GERECHTEN IN HANDIGE
MEENEEMVERPAKKING, WAARDOOR HET
BUITEN ETEN EEN FEESTELIJKE GEBEURTENIS
WORDT DIE TOCH WEINIG MOEITE KOST.

Een antiek flessenrek, *hiernaast, boven*, is handig voor het buiten aan tafel serveren van het toetje. Waterglazen in de compartimenten vormen houders voor in gestreepte servetten gewikkelde ijshoorntjes die gevuld zijn met vers fruit. Dit serveeridee heeft iets nostalgisch en herinnert aan de magische zomers aan het strand in de kinderjaren.

Sandwiches, *hiernaast, onder*, in een papieren servetje gewikkeld en met een koordje vastgebonden. Een stukje touw is alles wat je nodig hebt om bestek bij elkaar te binden. Met dit draagbare bedieningssysteem kunnen gasten zichzelf voorzien en het is bovendien van tevoren klaar te maken.

Stenen aan touwtjes, *links*, houden het tafelkleed op zijn plaats als het plotseling gaat waaien (niet denkbeeldig aan het water). 'Tafelankers' kunnen van gevonden voorwerpen als grote schelpen of gladde kiezels worden gemaakt. Bind een rij stenen aan elkaar zoals op deze foto, zodat je ze allemaal tegelijk kunt pakken.

Emaillen schalen, *boven*, vormen een charmante verpakking voor een eenpersoonslunch, compleet met bestek en een drankje. De gemakkelijk samen te stellen inhoud wordt bijeengehouden door een servet, dat tegelijk als handvat dient waarmee de schalen naar achtertuin of picknickplek worden gedragen.

KOKEN

'DE KEUKEN IS HET KLOPPENDE HART VAN MIJN HUIS. HET IS MIJN FAVORIETE PLEK OMDAT IEDEREEN ZICH DAAR VERZAMELT EN IK TIJDENS HET KOKEN MET MIJN HUISGENOTEN EN VRIENDEN KAN PRATEN.'

KEUKEN

De keuken heeft zich ontwikkeld tot een leefruimte. Het is altijd al een essentiële ruimte in huis geweest, maar tegenwoordig brengen we er meer tijd in door en gebruiken we hem voor veel meer activiteiten dan vroeger. Niet alleen is de keuken groter en minder afgezonderd van de overige ruimtes, ook de inrichting is meer in overeenstemming met die van de rest van het huis en een houten vloer, op elkaar afgestemde meubels en kastjes en decoratieve elementen zoals een verzameling kookspulletjes zijn tegenwoordig vanzelfsprekend. Tegelijkertijd wordt deze ruimte steeds meer aangepast aan onze persoonlijke eisen, met apparatuur en voorzieningen die modern en vooruitstrevend zijn, zoals alles tegenwoordig op het gebied van woninginrichting.

Op de bladzijden hierna hebben we een aantal ruimtes geselecteerd met de nieuwste ideeën voor keukens die efficiënt en gezellig zijn, functioneel en toch sfeervol.

Het ontwerpen van een keuken

In een keuken zijn functionele overwegingen die bepalen hoe efficiënt de werkruimte is belangrijkere uitgangspunten dan esthetische overwegingen. Begin met het vaststellen van een praktische driehoek, de essentie voor elke goed ontworpen keuken.

Beproefde recepten zijn nuttig bij het ontwerpen van een keuken. Begin altijd met de werkdriehoek. Simpel gezegd wordt de werkdriehoek gedefinieerd door de positie van aanrecht, fornuis of kookplaat en koelkast. Een efficiënte werkdriehoek heeft als voordeel dat je tijdens het koken niet zo veel heen en weer hoeft te lopen. In het ideale geval zijn de 'benen' van de driehoek 1,2 tot 2,7 meter en de som van de drie zijden is 4,9 tot 7,9 meter. Deze afmetingen komen overeen met het mini-

mum aan aanrecht- en bergruimte dat je nodig hebt. Onder de gootsteen is een ruimte van 60 centimeter breed nodig voor een vaatwasser en tussen gootsteen en fornuis is een aanrechtblad van 76 tot 120 centimeter erg handig omdat je daar het grootste deel van de tijd bezig bent tijdens het koken.

Wanneer je regelmatig met zijn tweeën tegelijk in de keuken staat, zijn een tweede aanrecht en een tweede gootsteen erg handig, bijvoorbeeld in een centraal kookeiland. Door een dergelijk eiland in je ontwerp op te nemen is er ruimte voor twee koks en lopen andere gezinsleden elkaar niet in de weg (kijk hiernaast voor meer informatie over kookeilanden). Omdat de koelkast ook buiten de maaltijden dikwijls gebruikt wordt, kun je die het best aan de buitenkant van de werkruimte neerzetten zodat je er gemakkelijk bij kunt, zowel tijdens het koken als om er tussendoor even iets uit te pakken.

GEZINSKEUKEN

Deze ruimte (hierboven en vorige bladzijde) is voorzien van een groot keukeneiland met keukentafel in één. Aan de tafel wordt gegeten, maar ook gezellig gepraat.

■ DE EFFICIËNTE WERKDRIEHOEK ligt uit de loop dankzij een extra roestvrijstalen spoelbak aan de aanrechtkant van het eiland.

■ EEN GROTE, ZOGENAAMDE BOERENGOOTSTEEN bevindt zich op behoorlijke afstand van het aanrechtgedeelte waar gekookt wordt, zodat kinderen en andere niet-koks er gemakkelijk bij kunnen.

■ DE HOOGTE VAN DE AANRECHTGEDEELTEN varieert; de tafel is 76 cm hoog, de standaardmaat voor een eettafel; en de droom van de thuisbakker: de ideale aanrechthoogte om deeg te kneden is 71-81 cm.

■ DEZE L-VORMIGE OPSTELLING biedt maximale aanrecht- en bergruimte.

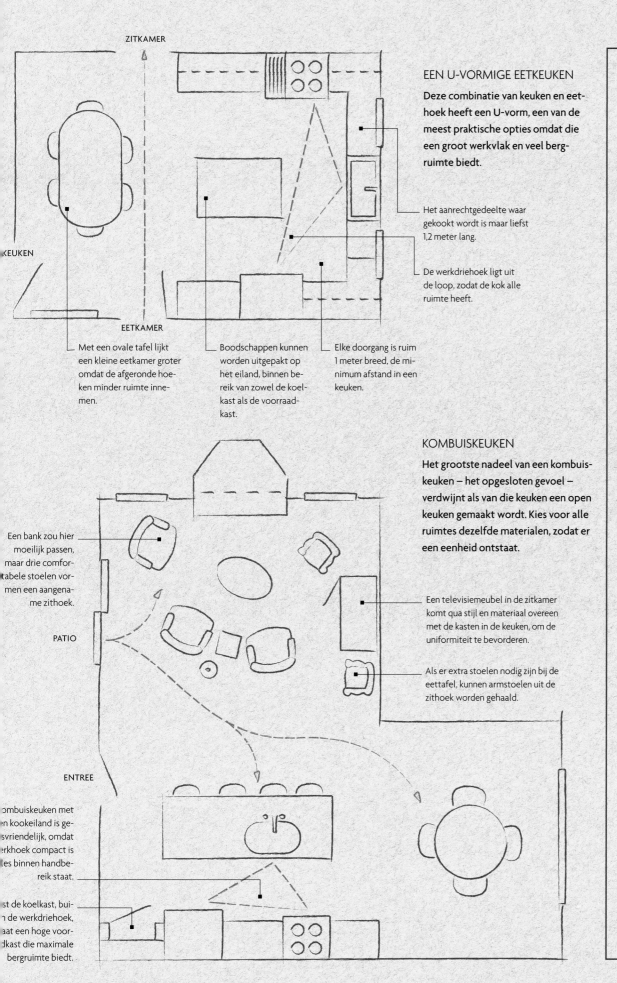

ZITKAMER

KEUKEN

EETKAMER

Met een ovale tafel lijkt een kleine eetkamer groter omdat de afgeronde hoeken minder ruimte innemen.

Boodschappen kunnen worden uitgepakt op het eiland, binnen bereik van zowel de koelkast als de voorraadkast.

Elke doorgang is ruim 1 meter breed, de minimum afstand in een keuken.

Een bank zou hier moeilijk passen, maar drie comfortabele stoelen vormen een aangename zithoek.

PATIO

ENTREE

...ombuiskeuken met ...n kookeiland is ge...svriendelijk, omdat ...erkhoek compact is ...es binnen handbe-...reik staat.

...st de koelkast, bui-...n de werkdriehoek, ...aat een hoge voor-...dkast die maximale bergruimte biedt.

Het aanrechtgedeelte waar gekookt wordt is maar liefst 1,2 meter lang.

De werkdriehoek ligt uit de loop, zodat de kok alle ruimte heeft.

Een televisiemeubel in de zitkamer komt qua stijl en materiaal overeen met de kasten in de keuken, om de uniformiteit te bevorderen.

Als er extra stoelen nodig zijn bij de eettafel, kunnen armstoelen uit de zithoek worden gehaald.

EEN U-VORMIGE EETKEUKEN

Deze combinatie van keuken en eethoek heeft een U-vorm, een van de meest praktische opties omdat die een groot werkvlak en veel bergruimte biedt.

KOMBUISKEUKEN

Het grootste nadeel van een kombuiskeuken – het opgesloten gevoel – verdwijnt als van die keuken een open keuken gemaakt wordt. Kies voor alle ruimtes dezelfde materialen, zodat er een eenheid ontstaat.

KOOKEILANDEN

Een kookeiland is een efficiënte manier om extra berg- en werkruimte aan je keuken toe te voegen. Met een extra spoelbak en/of kookplaat wordt de werkdriehoek compacter en dat bespaart geloop.

Formaat van het eiland

De ideale maten voor het werkblad van een kookeiland zijn 90 cm hoog en minstens 66 cm breed. Een ontbijtbar daarnaast kan hoger zijn dan het werkblad, bijvoorbeeld 1,2 meter, zodat er plaats is voor krukken, en minstens 36 cm breed.

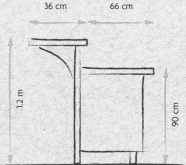

36 cm   66 cm

1,2 m   90 cm

Grootte van de ruimte

Voor een kookeiland is een ruimte van ten minste 2,4 × 3,5 meter nodig.

Efficiëntie

Als er twee mensen koken, is het handig om twee spoelbakken te hebben, waarvan een in het kookeiland, zodat er twee complete werkvlakken zijn.

Materialen

Voor het kookeiland kun je dezelfde materialen gebruiken als voor de overige keukenuitrusting, maar veel koks willen juist iets anders. Als je graag bakt, is een marmeren aanrecht prettig omdat daarop het deeg koel blijft en niet gaat plakken. Of kies eens iets heel anders. Een vrijstaande boerentafel of een roestvrijstalen werkblad als eiland kan een interessante blikvanger zijn.

Bergruimte op maat

Buit de bergruimte in een eiland uit door bredere planken aan te brengen waarop aan de keukenkant ruimte is voor pannen en schalen en aan de kant van de eettafel voor glazen en borden. Open vakken onder een keukeneiland zijn ideaal voor grote keukenspullen die niet in de andere kastjes passen.

Een duidelijk plan is een eerste vereiste voor een goed ontwerp en dat geldt zeker voor de keuken. Die ruimte moet er net zo uitnodigend uitzien als de rest van het huis, maar het is in de eerste plaats een werkruimte. En het allerbelangrijkste is dat er in de keuken efficiënt gekookt kan worden. Gelukkig zijn er tegenwoordig zo veel mogelijkheden voor een keuken op maat dat iedereen wel iets van zijn gading vindt bij de moderne ontwerpen. Kijk eerst hoe je de ruimte wilt gebruiken. Ben je een enthou-

ONTWERP
JE DROOMKEUKEN

DE BESTE KEUKEN IS EEN PRAKTISCHE RUIMTE OM TE KOKEN, ONTSPANNEN KOFFIE TE DRINKEN EN GEZELLIG BIJ ELKAAR TE ZITTEN. ZORG DAT JE KEUKEN EEN PLEK IS WAAR IEDEREEN GRAAG KOMT EN WAAR HET PRETTIG WERKEN IS.

siaste thuiskok of heb je een drukke baan en eet je vooral kant-en-klare maaltijden? Een goede keuken maakt alle routinewerkjes comfortabel en gemakkelijk. Als je graag samen met het hele gezin kookt, moeten er voldoende werkplekken zijn en liefst een extra spoelbak. Als je tijdens het koken graag met gasten praat, is een open keuken ideaal omdat je dan niets van de gezelligheid hoeft te missen. Misschien wil je een provisiekast, een ontbijtbar of ruimte voor de wasmachine, een vaatwasser installeren of een wijnrek, of eindelijk dat mooie werkblad dat je altijd al wilde hebben. Laat eerst je fantasie de vrije loop en maak dan een gedetailleerd plan. Keukens vergen meer beslissingen dan andere ruimtes, maar het resultaat is het waard.

De moderne klassieker

Keukens in ouderwetse landhuizen waarin alles draaide om efficiëntie en weinig onderhoud, staan model voor de moderne keuken.

Kijk naar het verleden als je een hypermoderne keuken wilt. Witte kastjes, metrotegeltjes, een stenen aanrechtblad en een roestvrijstalen keukenuitrusting zijn designelementen die herinneren aan de statige keukens van villa's vroeger. Deze materialen hebben één eigenschap gemeen die voor een moderne keuken even waardevol is als in de ouderwetse dienstkeukens: duurzaamheid. Een groot werkeiland, nog zo'n essentieel onderdeel van ouderwetse dienstkeukens, biedt aan meerdere koks werkruimte. Een tweede spoelbak in het kookeiland maakt de werkdriehoek kleiner, zodat de kok minder hoeft te lopen. Ook de provisiekast, vroeger niet weg te denken uit de keuken, is weer helemaal in de mode. Een groot voordeel van een provisiekast is dat er minder keukenkastjes nodig zijn, zodat er ruimte is voor meer ramen.

HET GEHEIM VAN DEZE RUIMTE

Deze ruime keuken bestaat uit een combinatie van klassieke materialen en hypermoderne apparatuur en is zowel stijlvol als praktisch.

■ EEN SUPERGROOT EILAND in het midden levert een benijdenswaardig werkvlak. De open ruimte onderin biedt een zee van bergruimte en maakt het eiland tegelijkertijd transparanter.

■ EEN U-VORMIGE OPSTELLING vormt een efficiënte werkdriehoek (de koelkast – onzichtbaar – staat rechts van het fornuis). Een tweede spoelbak in het eiland maakt de werkdriehoek kleiner en voorkomt dat je elkaar voor de voeten loopt.

■ EEN OPEN PROVISIEKAST achter de wand waartegen het fornuis staat, vermindert het aantal benodigde keukenkastjes zodat er aan één kant plaats is voor een aantal grote ramen.

■ OP ELKAAR AFGESTEMDE MATERIALEN en accessoires in tin en zwart-wit maken deze keuken bijzonder mooi. Een speciaal op maat gemaakt kruidenrek in de kooknis vormt een praktische en eenvoudige blikvanger.

Slimme keuzes voor de thuiskok

Als koken je hobby is en je een efficiënte ruimte wilt, kies dan voor een professionele keuken.

Restaurantkeukens vormen het domein van professionele koks, maar ze bieden een schat aan ideeën voor je eigen keuken. Apparatuur met de capaciteit en de efficiëntie van de machines in restaurantkeukens is in aangepaste versie algemeen verkrijgbaar voor particuliere keukens en sommige veranderingen in de keukenuitrusting zijn aan te brengen zonder volledige verbouwing. Kies elementen die passen bij jouw kookstijl. Op een marmeren aanrecht blijft pastadeeg bijvoorbeeld koel en stevig; met een kraan bij het fornuis vul je gemakkelijk en snel pannen voor soep of het koken van schelpdieren; een spoelbak in een kookeiland maakt het wassen van groenten die vervolgens gesneden moeten worden gemakkelijker, en dat geldt ook voor het schoonmaken achteraf.

HET GEHEIM VAN DEZE RUIMTE

Deze keuken voor een enthousiaste kok, gebouwd rond een werktafel in het midden, heeft allerlei apparatuur en op maat gemaakte opbergmogelijkheden uit een professionele keuken.

■ EEN FORNUIS IN RESTAURANTSTIJL is voorzien van een eigen watertoevoer en een lange tapkraan om pannen te vullen; veelgebruikte attributen hangen ordelijk en binnen handbereik aan een rail.

■ ER IS VOLDOENDE BERGRUIMTE, met op maat gemaakte vakken voor speciale benodigdheden. Een gekoelde wijnkast zorgt dat er altijd wijn op de juiste temperatuur is en er is een speciale la voor kruidenpotjes.

■ KLEINE APPARATEN zoals mixer en broodrooster zijn verkleinde versies van professionele modellen. Ze hebben het vermogen en het gemak van hun professionele tegenhangers.

■ EEN INGEBOUWD KANTOORHOEKJE biedt een werkblad om recepten te bekijken. Op planken erboven staan kookboeken, tijdschriften over koken en andere keukenspullen.

Deze stijlvolle keuken lijkt ruimer dan hij is dankzij het transparante karakter. Een keukeneiland dient voor voorbereidende werkzaamheden bij het koken, als buffet en als ontmoetingsplek.

■ **EENVOUDIGE MATERIALEN** en apparatuur geven in combinatie met fraai uitgestalde objecten een informele sfeer.

■ **EEN GROOT RAAM** vult de ruimte met daglicht dat door de glanzende oppervlakken en het roestvrij staal wordt gereflecteerd. Houten aanrechten brengen warmte in deze zonnige keuken.

■ **OUDERWETSE BUSSEN** en glazen potten van verschillend formaat staan heel decoratief en de inhoud ervan is in één oogopslag te zien.

■ **DE COLLECTIE VOORWERPEN** op de planken geeft deze keuken een persoonlijk karakter.

ONTWERP JE DROOMKEUKEN

Koken voor gasten

Als je het liefst eenvoudige gerechten en kant-en-klaarmaaltijden bereidt, kun je veel plezier hebben van een eenvoudige, open keuken.

Voor iemand die niet geregeld uitgebreid kookt, kan een kleine open keuken al voldoende zijn om informele maaltijden te bereiden. Zelfs een dergelijke kleine keuken kan gezellig zijn om in te koken en te kletsen als alle essentiële benodigdheden binnen handbereik zijn. Houd ingrediënten en zaken die je vaak gebruikt bij de hand en neem een kookeiland of semi-eiland in het ontwerp op zodat gasten en kok tijdens het koken een gesprek kunnen blijven voeren. Een bar met een houten blad is erg handig in een open keuken. Je kunt er groenten op snijden maar ook het voorgerecht op serveren. Ook voor een lopend buffet is een dergelijke bar perfect.

Open schappen zijn een goede vervanging voor bovenkastjes; serviesgoed en andere spullen blijven zichtbaar en de ruimte lijkt groter. Als je alles in één kleur houdt en eerlijke materialen als roestvrij staal en beukenhout gebruikt, maakt je keuken een ordelijke indruk.

Hoe je de beschikbare ruimte optimaal kunt benutten, is een vraag die voor elke kamer opnieuw moet worden gesteld. Misschien wil je zo veel mogelijk ruimte en een maximum aan comfort. Maar het kan ook betekenen dat je elke centimeter uitbuit om een praktische werkruimte met maximale bergruimte te creëren. Maar hoe groot de ruimte ook is, hij moet goed worden benut. In een keuken betekent dit dat je rekening moet houden met twee belangrijke punten. Ten eerste heb je handige werkplek-

EEN OPTIMAAL
GEBRUIK VAN DE RUIMTE

ELKE RUIMTE, VAN DE GROOTSTE WOONKAMER TOT HET KLEINSTE KAMERTJE, IS GEBAAT BIJ EEN SLIMME INRICHTING. DE SLEUTEL TOT EEN PRAKTISCHE KEUKEN IS EEN GOEDE INDELING VAN DE RUIMTE.

ken nodig (om het eten voor te bereiden, te koken, af te wassen en spullen op te ruimen) en een efficiënte werkdriehoek (de positie van koelkast, fornuis en aanrecht ten opzichte van elkaar). Een goede indeling voldoet aan al die voorwaarden, zodat de keuken optimaal functioneert. Het tweede belangrijke onderdeel van elke keuken is voldoende bergruimte. Die is het best te realiseren door een combinatie van praktische oplossingen: schappen op variabele hoogtes en in vakken opgedeelde laden, draaibare hoekkastjes, een rek voor bakplaten en dienbladen, uittrekbare planken en opbergmanden — de mogelijkheden zijn bijna onbeperkt. Al deze voorzieningen kunnen in bestaande kastruimte worden ingebouwd, zodat het niet nodig is om de hele keuken ervoor te verbouwen.

HET GEHEIM VAN DEZE RUIMTE

Deze grote ruimte, die zowel keuken als eetkamer is, vormt een ideale plek om gezellig bij elkaar te zitten voor een hapje of een uitgebreid diner.

■ **HET KEUKENGEDEELTE** bestaat uit een kleine werkdriehoek en is daardoor buitengewoon efficiënt.

■ **HET EILAND IN HET MIDDEN** is aan één kant uitgebouwd tot een ontbijtbar, waar ook de borrelhapjes voor gasten kunnen worden geserveerd tijdens het bereiden van de maaltijd.

■ **EEN ANTIEKE KAST** in het eetgedeelte biedt plaats aan serviesgoed en tafellinnen en zorgt voor een warm persoonlijk accent in de keuken.

■ **KASTJES IN DE VORM VAN OUDERWETSE PROVISIEKASTEN** en schrootjeswanden zorgen voor een knusse sfeer in het keukengedeelte.

EEN OPTIMAAL GEBRUIK VAN DE RUIMTE

De eetkeuken

Combineer de genoegens van koken, eten en gezellig samenzijn met een functionele keuken die tegelijk een ruime, sfeervolle eetkamer vormt.

Onroerendgoedadvertenties prijzen terecht een 'eetkeuken' aan. Veel gezinnen willen graag een eetkeuken die plaats biedt aan zowel grote als kleine gezelschappen. Een dergelijke ruimte heeft de warme gezelligheid die eigen is aan een goede keuken, maar geeft bovendien een bijzonder gevoel van ruimte. Door keuken en eetkamer te combineren wordt de overgang tussen de verschillende ruimtes in je huis vloeiender. Bovendien biedt het de mogelijkheid om verschillende gedeelten voor verschillende maaltijden te bestemmen. Het dagelijkse ontbijt, eenvoudige lunches en een snelle hap kunnen aan een eetbar worden opgediend die deel uitmaakt van een kookeiland; voor avondmaaltijden en feestelijke etentjes gebruik je een grote tafel in het eigenlijke eetgedeelte. Een centraal eiland is ideaal tijdens etentjes, omdat de gasten er tijdens het koken van de maaltijd bij kunnen zijn en de kok het gevoel geven erbij te horen ook al is hij of zij aan het werk. Het is het mooist als keuken en eetgedeelte elkaar aanvullen maar toch enigszins verschillen, in overeenstemming met hun functie.

Een keuken als een kombuis

Rust een krappe keuken uit met alle handige snufjes van een grotere. Een slimme indeling maakt van een piepklein keukentje een prettige werkruimte.

Een pantry of kombuiskeuken – genoemd naar de kombuis op een schip, waar met de ruimte moet worden gewoekerd – is kenmerkend voor veel huizen en appartementen in de stad. Ondanks de beperkte ruimte kan een pantrykeuken verbazend efficiënt zijn. Een van de grootste voordelen is het compacte karakter van de werkdriehoek, waardoor alles binnen handbereik is. Een nadeel is het gebrek aan bergruimte, maar dat is te ondervangen. Speciale ondiepe kastjes, uittrekbare apothekerskasten en op maat gemaakte laden benutten elke centimeter; apparatuur met een kleiner formaat dan gebruikelijk neemt minder ruimte in.

HET GEHEIM VAN DEZE RUIMTE

De kombuiskeuken is piepklein maar door al het wit lijkt hij groter. Het aantal materialen en texturen is tot een minimum beperkt en een opgeruimd aanrecht doet de rest.

■ ZELFS IN DEZE KLEINE RUIMTE zorgt een optimale werkdriehoek met spoelbak, fornuis en koelkast (tegen de muur tegenover het fornuis) ervoor dat alles binnen handbereik van de kok is.

■ DE BOVENKASTJES zijn veel minder diep dan de gebruikelijke 30-38 cm en bieden plaats aan slechts één rij voorwerpen. Omdat ze zo ondiep zijn, kunnen ze worden opgehangen alsof ze één geheel vormen met de muur en hangen ze niet over het aanrecht heen.

■ EEN KRAAN IN DE MUUR spaart kostbare centimeters en vergroot het gestroomlijnde karakter van de ruimte.

■ VERBORGEN LADEN achter witte kastdeurtjes hebben hetzelfde effect.

Creatief opbergen

Ook bij het besparen van ruimte kunnen praktisch en stijlvol samengaan. Spring slim om met de beschikbare ruimte en kies voor een mooie manier van opbergen.

Een van de belangrijkste dingen bij het plannen van de keuken is het creëren van bergruimte. Bijna iedereen wil meer kastruimte waar plaats is voor alle keukenspullen. Met wat vindingrijkheid kun je meer bergruimte scheppen en tegelijk je keuken een persoonlijk tintje geven. Begin met zo veel mogelijk nuttige ruimte te scheppen. Gebruik kastruimte optimaal met behulp van decoratieve bladen, manden, schalen en rekken. Stop voorwerpen voor dagelijks gebruik zoals servetten en bestek in een mand en berg die op in de buurt van de eettafel. Zet groenten en fruit in schalen zichtbaar neer, dat is nog decoratief ook. Verzamel flessen olie en azijn op een dienblad met rand op het aanrecht.

HET GEHEIM VAN DEZE RUIMTE

Deze ruime keuken met zijn grote eiland is voorzien van zowel vaste als verplaatsbare opbergruimte en dat is buitengewoon praktisch.

■ ER ZIJN ZOWEL OPEN ALS GESLOTEN VAKKEN in het eiland opgenomen, zodat veelgebruikte spullen gemakkelijk te pakken zijn maar dingen die zelden gebruikt worden aan het oog worden onttrokken.

■ MANDEN MET UITSPARINGEN IN DE ZIJKANT vormen een ordelijke manier om keukendoeken, kruiden en droge voorraad op te bergen.

■ SPULLEN VAN DE ROMMELMARKT krijgen een tweede leven als bewaarruimte: een rek om flessen te drogen wordt gebruikt om koffiekoppen aan te hangen.

■ VERZAMELD OP MOOIE DIENBLADEN blijven moeilijk op te ruimen spullen als bestek en kruiden overzichtelijk en verplaatsbaar.

■ DE INFORMELE INRICHTING met warm houten kasten, tweedehands houten balken en een rustieke ijzeren ventilatiekap vormt een mooie achtergrond voor de bijzondere verzamelobjecten.

Kasten

Kasten bepalen de stijl van je keuken, dus na het opstellen van een plan voor de indeling komt meestal het kiezen van de kasten. Je hebt de keus uit open of gesloten kastjes of een combinatie van beide; de variatie is groot, ook in materiaal en afwerking. Keukenkastjes met een voorframe rond de deurtjes zijn wat klassieker, frameloze kastjes wekken een meer gestroomlijnde indruk. Voorraadkasten zijn goedkoper, maar het aantal modellen is beperkt. Er zijn tegenwoordig allerlei handige opbergaccessoires te koop waarmee de ruimte in een voorraadkast optimaal kan worden benut. Gedeeltelijk op maat gemaakte kasten zijn leverbaar in superieure materialen en constructies en met verschillende typen deurtjes. Volledig op maat gemaakte keukens hebben uitgekiende details zoals zelfsluitende laden, apothekerskasten en speciale laden voor kruiden of messen – de mogelijkheden zijn eindeloos. Kijk voor meer informatie onder 'Materialen' op pagina 360.

Houten aanrechtkastjes, *rechts*, gecombineerd met roestvrijstalen schappen om de wandruimte optimaal te benutten. Een combinatie van open en gesloten bergruimte is een handige manier om mooie voorwerpen zichtbaar neer te zetten en de doorsnee keukenattributen achter deurtjes op te bergen.

ZO DOE JE DAT: INRUIMEN VAN DE PROVISIEKAST

Vroeger was de provisiekast of -kamer gescheiden van de keuken en daar werden alle ingrediënten bewaard die de kok nodig had. Tegenwoordig is het begrip provisiekast uitgebreid naar ingebouwde apothekerskasten of vrijstaande kasten, vaak gecombineerd met allerlei handige opbergmogelijkheden. Een grote kast kan uittrekbare planken hebben of is zo ondiep dat er geen dubbele rijen in kunnen, zodat alles in één oogopslag te zien is. Dat maakt de voorraad niet alleen overzichtelijker, maar je hoeft ook niet meer de halve kast leeg te halen om iets wat achter op de plank staat te kunnen pakken. Provisiekasten hoeven niet diep te zijn, op onverwachte plekken zoals de ruimte onder een trap, tegen de muren langs de keldertrap of in een verloren hoekje van de keuken is misschien plaats voor een extra kast.

■ **MAAK GEBRUIK VAN HANDIGE HULPJES** als deurrekken, rollende of uittrekbare bakken en planken, en draaibare hoekkastjes om de ruimte maximaal te benutten. De mogelijkheid om spullen naar je toe te halen is essentieel bij diepe kasten of aanrechtkastjes, waar het achterste deel van de planken vaak moeilijk bereikbaar is.

■ **OP DE DEUR GEMONTEERDE PLANKEN** maken de provisiekast efficiënter. Zorg wel voor een opstaande voorrand, zodat de spullen bij het open- en dichtdoen van de deur niet vallen.

■ **GEEF VERSCHILLENDE INGREDIËNTEN** een verschillende plek – blikjes, bakspullen, verpakte levensmiddelen enzovoort. Daardoor is alles beter te vinden en blijft je kast op orde.

Glazen deurtjes, *rechts*

Deurtjes met glazen panelen hebben een aantal pluspunten. Sommige mensen houden van de ouderwetse provisiekasten die meestal voorzien waren van in vakken verdeelde glazen deuren; sommige koks zien gewoon graag hun welgevulde voorraadkast. Met glazen deurtjes lijkt een keuken ook groter.

Halfdoorzichtige deurtjes, *uiterst rechts*

Halfdoorzichtige deuren voor een kast vormen een gedistingeerde manier om een keuken lichter te maken. Hier zijn deurtjes van matglas aangebracht voor een raam, wat een maximum aan licht en aan bergruimte oplevert. Schalen en vazen steken als silhouetten af tegen de lichte achtergrond, wat een prachtig abstract effect geeft.

Hout, *rechts*

Hout blijft de beste keus voor keukenkastjes. Het is niet allen duurzaam, maar kan ook gemakkelijk gebeitst, geverfd of gelakt worden in de stijl van het interieur. Kastjes met een voorframe en paneeldeurtjes zorgen voor een traditionele uitstraling; frameloze houten kastjes passen in een hypermoderne keuken.

Laminaat, *uiterst rechts*

Frontjes van laminaat hebben een moderne uitstraling en kunnen prachtig gecombineerd worden met een warm aandoende houten vloer of houten meubels. Laminaat is onderhoudsvriendelijker dan hout en bovendien vlek- en krasbestendig. De keus in vinyl en laminaat is nog groter dan die in hout; de afwerking kan mat, glanzend of van een reliëfje voorzien zijn.

Uittrekbare laden

Uittrekbare planken in aanrechtkastjes of provisiekasten zorgen ervoor dat je niet hoeft te bukken of te hurken om iets te pakken. Zulke glijdmechanismen kunnen ook in bestaande kastjes worden aangebracht. De ladevorm van de planken voorkomt dat alles eraf schuift tijdens het openen of sluiten.

Diepe laden

In een diepe lade is de inhoud beter bereikbaar dan op een diepe plank, omdat ook dingen die achterin staan gemakkelijk te vinden en te pakken zijn. Voor het bewaren van flessen is het handig als de la is opgedeeld in vakken die goed vol staan. Dat voorkomt dat er flessen omvallen of gaan schuiven.

Lade onder apparatuur

Een ondiepe lade onder apparatuur of het aanrecht is een uitstekend voorbeeld van efficiënt ruimtegebruik. Deze la bevindt zich onder een fornuis en wordt gebruikt voor het opbergen van bakblikken en bakvormen. Laden die je met je voet opent en sluit kunnen onder vrijwel elke kast worden aangebracht om ruimte uit te buiten en er bestaan zelfs opklapbare trapjes die in een dergelijke ruimte passen.

Gaatjesboard met pinnen

Een systeem van gaatjesboard met houten pinnen is een praktische manier om laden in te delen. Steek de houten pinnen in de gaatjes om te verhinderen dat voorwerpen tegen elkaar aan stoten of door elkaar raken. Dit flexibele opbergsysteem is geschikt voor bijna alles – stapels borden en kopjes, kruidenpotten, tafellinnen, kookspullen – eigenlijk alles wat je in een la wilt bewaren.

Opbergruimte in het keukeneiland

Buit de ruimte in een keukeneiland uit met zowel diepe als ondiepe vakken. Aan de keukenkant bieden 60 cm diepe gesloten kastjes plaats aan grote pannen. Aan de kant van de eettafel kun je ruimte die anders misschien verloren zou zijn benutten door ondiepe planken. De uitstalling van kleurig serviesgoed geeft het eiland een persoonlijke en vrolijke uitstraling.

Verstelbare schappen

Verstelbare planken of uittrekbare laden in een kast vormen een eenvoudige en goedkope manier om de bergruimte aan te passen aan jouw specifieke behoefte; zo heb je plaats voor allerlei kookspullen. Laat 3-8 cm ruimte over tussen de grootste pannen en de volgende plank, zodat ze gemakkelijk te pakken zijn.

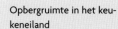

Opbergruimte onder het aanrecht

Onder het aanrecht bevindt zich vaak de meeste opbergruimte in een keuken. Met speciale schappen, laden of rekken kun je die ruimte optimaal benutten en op orde houden. Die accessoires zijn tegenwoordig in allerlei afmetingen verkrijgbaar en kunnen in bestaande kastjes de vaste schappen vervangen. Voorzie diepe kasten van uittrekbare laden zodat je sneller vindt wat je nodig hebt; deel diepe laden met behulp van schotten in vieren; bevestig rekken aan de binnenkant van kastdeuren. Maak gebruik van verstelbare schappen op hoogten die aangepast zijn aan je specifieke behoeften. Sorteer keukenspullen op grootte en functie en zet ze zo dicht mogelijk bij de werkplek – pannen bij het fornuis, flessen olie bij het aanrecht, vaatdoekjes en sponsjes bij de gootsteen enzovoort. Geef alles in de keuken een vaste plek en je hoeft je nooit meer af te vragen waar iets gebleven is.

Open schappen onder het fornuis, *links*, vormen de ideale plaats voor potten en pannen omdat de kok er direct bij kan. De schappen zijn stevig genoeg om kleinere apparaten te dragen, waardoor er meer ruimte overblijft op het aanrecht.

ZO DOE JE DAT: AANPASSEN VAN DE HOOGTE

Hoewel aangepaste ingebouwde bergruimte een van de voordelen van een keuken op maat is, oogst ook de mogelijkheid om de hoogte van het werkblad aan te passen aan de kok steeds meer waardering. Alle standaard aanrechtkastjes zijn 90 cm hoog, een comfortabele werkhoogte voor iemand van gemiddelde lengte. Langere koks kunnen aanrechtkastjes nemen die het werkvlak op 114 cm brengen, zodat ze niet gebogen over het aanrecht hoeven te staan. Onderzoek naar RSI en ergonomie wijst uit dat de beste werkhoogte per werkzaamheid verschilt. Misschien wil je niet alleen de hoogte van het aanrechtblad maar ook die van schappen en aan de wand bevestigde ovenapparatuur aanpassen voor meer comfort.

■ **AANRECHTHOOGTE:** om te snijden, deeg te kneden en met de hand te mixen is een werkblad van 70-80 cm hoog het prettigst. Veel koks gaan vanzelf naar een tafel waar ze hun armen volledig kunnen strekken terwijl ze aan het werk zijn.

■ **POSITIE VAN DE OVEN:** de onderkant van een aan de wand bevestigde oven moet zich ter hoogte van de taille bevinden om te voorkomen dat je armen brandt aan de open deur als je er een hete schotel uit haalt.

■ **HOOGTE VAN DE KASTJES:** schappen en kastjes tussen knie- en ooghoogte zijn te bereiken zonder dat je moet rekken. Het is niet praktisch om de bergruimte tot dat niveau te beperken maar ga voor het opbergen van spullen die je dikwijls gebruikt wel uit van dit principe.

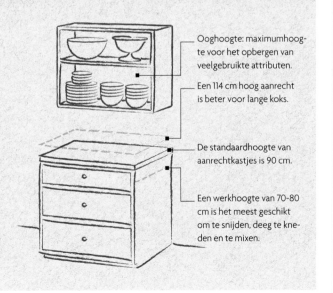

Ooghoogte: maximumhoogte voor het opbergen van veelgebruikte attributen.

Een 114 cm hoog aanrecht is beter voor lange koks.

De standaardhoogte van aanrechtkastjes is 90 cm.

Een werkhoogte van 70-80 cm is het meest geschikt om te snijden, deeg te kneden en te mixen.

Voor de meeste mensen is de keuken de spil van het gezinsleven. Daarom moet hij de smaak en interesses van de gezinsleden weerspiegelen. Houd er rekening mee dat door het koken en schoonmaken kostbare spullen beschadigd kunnen worden. Daar staat tegenover dat er decoraties bestaan die juist in een keuken goed tot hun recht komen en die niet alleen mooi zijn, maar ook tegen een stootje kunnen. Het meest voor de hand liggend zijn keukenattributen. Dagelijkse gebruiksvoorwerpen als kook-

VOLG
JE EIGEN STIJL

DE KEUKEN IS EEN VAN DE BELANGRIJKSTE RUIMTES IN HUIS. GEEF HEM EEN PERSOONLIJK KARAKTER MET BIJZONDERE VERZAMELINGEN EN DIERBARE SPULLETJES.

boeken, aardewerk, schalen en flessen kruidenazijn vormen vanzelfsprekende keukenversierselen. Ook verzamelobjecten als mooi linnen, peper-en-zoutstellen, oude koekblikken en glazen voorraadpotten of antieke keukenspullen doen het goed in een keuken. Als je verschillende verzamelingen bezit, kun je door een andere opstelling of afwisseling daarvan je keuken een nieuw aanzien geven. Een uitstekend alternatief vormen planten. Je kunt kruiden kweken in potten en bakken, of je kunt ze drogen om ze op te hangen. Ook kindertekeningen zijn favoriet als gezellige en grappige versiering.

VOLG JE EIGEN STIJL

Een open aanpak

Creëer een harmonische sfeer door de stijl van de overige ruimtes in huis door te trekken naar de open keuken.

Het verschijnsel open keuken of eetkeuken is je ongetwijfeld bekend. Deze multifunctionele ruimte biedt tal van mogelijkheden om te koken, te eten en mensen te ontvangen. De eerste stap naar een werkelijk functionele en mooie open eetkeuken is de ruimte als één geheel te zien en niet als twee gescheiden vertrekken. Benadruk de samenhang door in beide gedeelten dezelfde vloerbedekking en overige materialen te gebruiken en verf de muren in dezelfde kleur – of kies voor beide ruimtes dezelfde accentkleur. Houd de scheiding tussen beide ruimtes subtiel, zodat het idee van openheid blijft bestaan. Maak gebruik van balken of andere bouwkundige elementen, rekken of schappen met planten of schalen erop, meubels of kleden om de twee gedeelten te markeren. Dat is vooral van belang als er ook een zithoek in het ontwerp is opgenomen. Hoe groter de ruimte, hoe groter ook de noodzaak om functionele gedeelten af te bakenen maar toch in dezelfde persoonlijke stijl in te richten.

Pretentieloos wit

Een compleet witte keuken maakt een frisse en heldere indruk en is tegelijk pretentieloos en stijlvol.

Soms heeft zwijgen meer effect dan woorden. Hetzelfde geldt voor het interieur. De afwezigheid van kleur kan net zo veel zeggen over iemands persoonlijkheid als een overdaad aan kleuren. Een volledig wit kleurschema heeft het voordeel dat het fris, schoon en helder aandoet, eigenschappen die vooral in een keuken essentieel zijn. Een volledig witte ruimte komt het best tot zijn recht als er veel daglicht binnenvalt, waardoor elke ruimte levendiger wordt. Laat de ramen vrij, of bedek ze gedeeltelijk met dunne vitrage of halve gordijntjes zodat het zonlicht naar binnen kan. Combineer verschillende tinten wit in matte en glanzende oppervlakken met glaswerk en zorg voor warmte en variatie door verschillende vormen, texturen en dessins te combineren.

HET GEHEIM VAN DEZE RUIMTE

Een kleurenschema van uitsluitend wittinten voor zowel meubilair als houtwerk en serviesgoed geeft deze keuken een frisse en buitengewoon vriendelijke uitstraling.

■ MET WITTE HOOGGLANSVERF worden een eenvoudige houten tafel en stoelen omgetoverd tot een opvallende eethoek.

■ STEVIGE HOUTEN PLANKEN op dito consoles vormen een fraai bouwkundig accent aan de verder gladde muur.

■ ALLE MATERIALEN EN VOORZIENINGEN zijn praktisch en eenvoudig, maar krijgen een verfijnd karakter door het rustige kleurenschema.

■ DE OPEN MANIER VAN OPRUIMEN past bij de sobere en informele sfeer van deze keuken.

■ EEN VERZAMELING SERVIESGOED waarin antiek en modern gecombineerd zijn, vormt een interessante blikvanger. De koele en warme tinten van de witte en glazen voorwerpen zorgen voor een levendig en afwisselend effect.

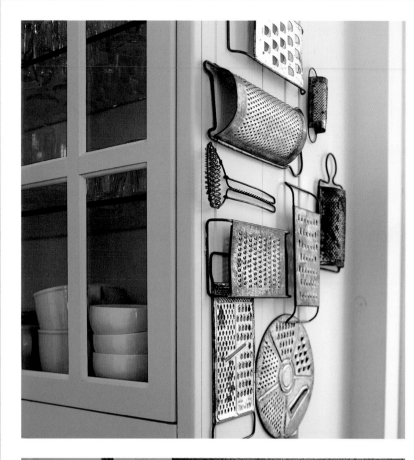

MAAK DE KEUKEN GEZELLIG MET PERSOONLIJKE ACCENTEN ALS ANSICHTKAARTEN, FOTO'S EN VERZAMELOBJECTEN.

Antieke raspen, *bladzijde hiernaast, links-boven*, opgehangen naast een kast. Bijzondere verzamelobjecten lokken dik-wijls een gesprek uit in de keuken. Elk voor-werp heeft een eigen verhaal, of het nou een aandenken is aan een uitstapje met het gezin of de oogst van een dagje struinen op de rommelmarkt.

Een prikbord van kurk, *bladzijde hiernaast, linksonder*, met kleurige punaises staat heel decoratief. Vol foto's, memo's, uitnodigin-gen en prentbriefkaarten vormt het een steeds wisselend plakboek waarin iedereen die de keuken in komt een blik kan werpen.

Een favoriet schilderij, *links*, biedt een warm tegenwicht tegen de koele opper-vlakken in een keuken. Samen met twee peren in een oude weegschaal vormt het een mooi stilleven. Houd kwetsbare kunst-werken in een keuken weg van aanrecht en fornuis, want vocht en vet zijn funest.

Een magnetisch bord, *boven*, vormt een mooi alternatief voor magneten op de koelkastdeur. Hier is het bevestigd op een wand tussen kastjes en aanrecht, en in gebruik voor recepten voor het weekmenu.

SLAPEN

'MIJN SLAAPKAMER IS EEN PRIVÉVERTREK, BEDOELD OM TE ONTSPANNEN. HET MOET EEN OASE VAN RUST ZIJN, VOORZIEN VAN UITNODIGENDE MATERIA-LEN, ZACHTE STOFFEN EN DIERBARE SOUVENIRS.'

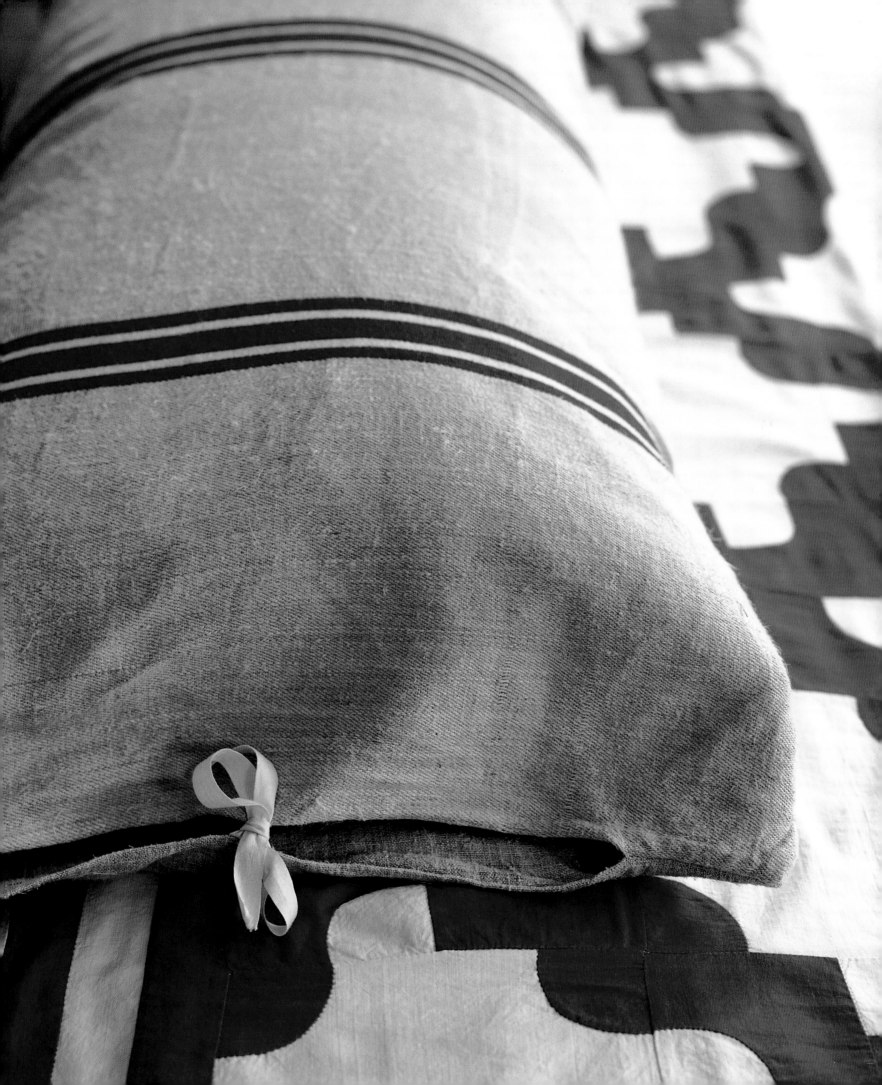

SLAAPKAMER

Naarmate we meer tijd in huis doorbrengen, stellen we meer eisen aan comfort en gebruiksmogelijkheden van onze ruimtes. Dat geldt vooral voor de slaapkamer, waar we niet alleen slapen maar misschien ook aan fitness doen, werken, ontspannen en televisiekijken. In een moderne slaapkamer moet dat allemaal mogelijk zijn zonder afbreuk te doen aan de rust en privacy.

Doordat de slaapkamer meer functies krijgt, kunnen we bij de inrichting ervan afwijken van het standaardinterieur en de 'huisstijl' aanhouden. De traditionele slaapkamerinrichting met bed, toilettafel en twee nachtkastjes is geen wet van Meden en Perzen meer. In de kamers op de bladzijden hierna laten we nieuwe manieren zien om de slaapkamer in te richten, en doen we suggesties om een ruimte te creëren die zowel comfortabel als praktisch is.

Het ontwerpen van een slaapkamer

Voor sommige mensen dient een slaapkamer uitsluitend om er te slapen. Voor anderen is het veel meer dan dat. Hoe dan ook, één ding is zeker: we brengen een derde van ons leven in bed door. Investeer daarom in kwaliteit en comfort.

Het belangrijkste in een slaapkamerontwerp is de plaats van het bed. In het ideale geval staat dat met het hoofdeinde tegen een muur en is er aan weerszijden 60 centimeter ruimte, bijvoorbeeld om het op te maken (in geval van nood is 30 centimeter voldoende). Kijk voor de verschillende stijlen bedden op de pagina's 180-181.

Kastruimte is het tweede belangrijke aandachtspunt. De meeste mensen willen een opgeruimde slaapkamer en dat kan met een efficiënt gebruik van kastruimte (zie hiernaast): met legkasten, hangkasten, ladekasten of bergruimte onder het bed. De meeste legkasten zijn 51-56 centimeter diep; laat vóór de kast 107-120 centimeter ruimte vrij om deuren en laden te kunnen openen (in een kleine kamer is 70 centimeter het minimum). De diepte van kledingkasten zoals hang- en legkasten kan variëren, maar ze hebben dezelfde ruimte nodig.

Nachtkastjes of kleine tafeltjes naast het bed zijn onmisbaar. Er moet plaats zijn voor boeken en tijdschriften, een lamp om de sfeer te verhogen en om bij te lezen, een wekker, een karaf of andere zaken die je bij de hand wilt hebben. Ook meubels die niet specifiek bedoeld zijn voor de slaapkamer kunnen heel bruikbaar zijn: een servieskast met glazen deuren om een verzameling in op te bergen of een lage tafel met schappen voor boeken en tijdschriften.

EEN SLAAPKAMER MET WERKHOEK

Deze knusse ruimte (hierboven en vorige bladzijde) is zowel overdag als 's nachts een comfortabel toevluchtsoord. Door de slimme indeling doet de werkhoek geen afbreuk aan de voornaamste functie van de kamer: slapen.

■ Een fraai bureau voor het raam maakt het mogelijk om het bed midden in de kamer te zetten; zo ontstaat een aparte werkplek waar je ongestoord en zonder afgeleid te worden kunt studeren.

■ BOEKENPLANKEN IN EEN NIS geven een gestroomlijnd en mooi effect en bieden ruimte aan zowel studieboeken als literatuur en dierbare voorwerpen.

■ DIVERSE LAMPEN zorgen voor verlichting waar dat nodig is. Dubbele gordijnen laten overdag de gewenste hoeveelheid licht binnen en maken de kamer 's nachts donker genoeg om er te slapen.

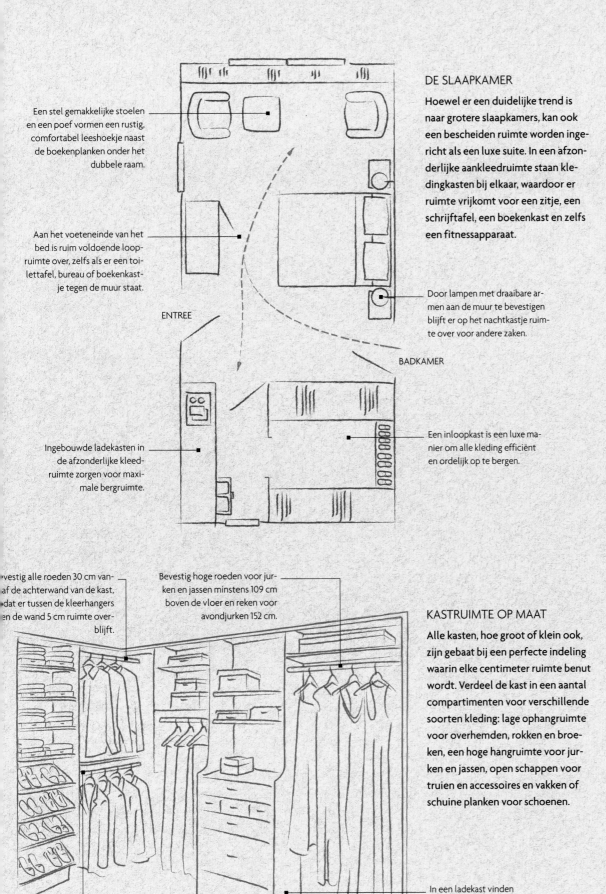

DE SLAAPKAMER

Hoewel er een duidelijke trend is naar grotere slaapkamers, kan ook een bescheiden ruimte worden ingericht als een luxe suite. In een afzonderlijke aankleedruimte staan kledingkasten bij elkaar, waardoor er ruimte vrijkomt voor een zitje, een schrijftafel, een boekenkast en zelfs een fitnessapparaat.

Een stel gemakkelijke stoelen en een poef vormen een rustig, comfortabel leeshoekje naast de boekenplanken onder het dubbele raam.

Aan het voeteneinde van het bed is ruim voldoende loopruimte over, zelfs als er een toilettafel, bureau of boekenkastje tegen de muur staat.

ENTREE

BADKAMER

Door lampen met draaibare armen aan de muur te bevestigen blijft er op het nachtkastje ruimte over voor andere zaken.

Ingebouwde ladekasten in de afzonderlijke kleedruimte zorgen voor maximale bergruimte.

Een inloopkast is een luxe manier om alle kleding efficiënt en ordelijk op te bergen.

HET INRICHTEN VAN EEN KLEDINGKAST

Het geheim om een kledingkast op orde te houden schuilt in het aanbrengen van aparte afdelingen voor verschillende soorten kleding. De volgende richtlijnen geven aan hoeveel ruimte er nodig is voor elke afdeling.

Jurken en jassen
Hang deze in een eigen vak aan een hoge roede; rangschik ze van kort naar lang. Laat 3-8 cm ruimte over tussen de kledingstukken.

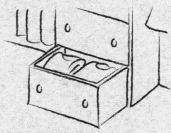

T-shirts
Vrijetijdsshirts worden opgevouwen en op een stapeltje op planken of in laden opgeborgen. Opgevouwen T-shirts en vrijetijdshemden hebben minstens 23 cm nodig.

Schoenen
Schoenen kun je het best opbergen op schuine open planken of in vakken. Ga uit van een diepte van 30-36 cm en een breedte van 18-20 cm per paar schoenen (20-25 cm voor herenschoenen).

KASTRUIMTE OP MAAT

Alle kasten, hoe groot of klein ook, zijn gebaat bij een perfecte indeling waarin elke centimeter ruimte benut wordt. Verdeel de kast in een aantal compartimenten voor verschillende soorten kleding: lage ophangruimte voor overhemden, rokken en broeken, een hoge hangruimte voor jurken en jassen, open schappen voor truien en accessoires en vakken of schuine planken voor schoenen.

Bevestig alle roeden 30 cm van af de achterwand van de kast, dat er tussen de kleerhangers en de wand 5 cm ruimte overblijft.

Bevestig hoge roeden voor jurken en jassen minstens 109 cm boven de vloer en reken voor avondjurken 152 cm.

De onderste roede moet minstens 107 cm boven de vloer bevestigd zijn; bevestig een tweede roede minstens 90 cm boven de onderste.

In een ladekast vinden ondergoed, T-shirts, sokken en toiletspullen een plaats.

Een slaapkamer is veel meer dan een plek om te slapen. Het is een toevluchtsoord, een plaats waar je na een drukke werkdag tot rust komt. Om van je slaapkamer die oase te maken waar je elke avond graag heen gaat, moet hij worden ingericht met materialen en kleuren die rust uitstralen. Misschien heb je ooit gelogeerd in een kuuroord of luxe hotel. Probeer je die ruimte en het kalmerende effect ervan te herinneren. Denk aan de luxueuze stoffen en het prachtige beddengoed, de frisse geur van de kamer, de

CREËER JE EIGEN
OASE VAN RUST

DE SLAAPKAMER IS HET MEEST PERSOONLIJKE VERTREK IN HUIS. PROBEER HET ZO IN TE RICHTEN DAT JE ER AAN HET EIND VAN DE DAG GRAAG NAARTOE GAAT.

rustgevende kleuren en het zonlicht op de meubels. Dat zijn elementen die je in je eigen kamer aan kunt brengen. Zoek beddengoed, spreien en zachte kussens waar je heerlijk in weg kunt duiken en maak daarmee het bed op. Zet bloemen in de kamer die een heerlijke geur verspreiden. Kies een raamdecoratie die overdag zonlicht binnenlaat en steek 's avonds kaarsen aan die een warm licht verspreiden. Omring jezelf met familiefoto's en dierbare spulletjes. De juiste combinatie van eenvoudige elementen verandert een slaapkamer in een hoogstpersoonlijk domein.

Natuurlijk licht

Profiteer van grote ramen die het zonlicht doorlaten om een rustgevende ruimte te creëren.

Bij het kiezen van raambekleding voor de slaapkamer denken we vaak het eerst aan – vooral dikke – gordijnen. Maar
daglicht is zo essentieel voor rust en ontspanning dat we
het beter zo veel mogelijk binnen kunnen laten in plaats
van buiten te sluiten. Gewekt worden door de eerste zon-
nestralen is een rustiger begin van de dag dan het geluid
van een wekker of radio.

Dunne vitrage voor de ramen zorgt overdag voor privacy
(breng zonwering aan of een tweede gordijnroe voor ondoorschijnende gordijnen die 's nachts dichtgaan) en laten
een maximum aan gefilterd daglicht binnen. Kies voor een
wit of neutraal kleurschema en voeg onopvallende accenten toe in een zachte tint, zodat er vanzelf een rustgevende,
ontspannende ruimte ontstaat. Wees niet zuinig met comfortabele stoffen die heerlijk aanvoelen en mooi zijn om te
zien.

HET GEHEIM VAN DEZE RUIMTE

Grote ramen en een roomwit kleurenschema maken van deze slaapkamer een oase die baadt in daglicht.
Het consequente gebruik van witte
tinten, uitgevoerd in een verfijnde
combinatie van verschillende texturen, werkt rustgevend.

■ TRANSPARANTE GORDIJNEN voor de
grote ramen filteren het daglicht en geven privacy; bovendien zorgen ze voor
een romantisch effect.

■ DE NADRUK LIGT HIER OP DE RIJKE TEX-
TUUR: beddengoed met open zomen,
van matelassé, en van imitatiebont, allerlei kussens en plaids en een fraai gedessineerd wollen tapijt.

■ EEN GROTE SPIEGEL tegenover het
raam weerkaatst het daglicht in de hele
kamer.

■ DOOR DE VERHOOGDE STOOKPLAATS
krijgt de open haard meer aandacht en is
het vuur ook vanuit het bed zichtbaar.

■ FAUTEUILS, een poef en een laag tafeltje vormen een uitnodigende leeshoek
rond de open haard.

CREËER JE EIGEN OASE VAN RUST

Ruimte voor reflectie

Zachte kleuren en handige opbergruimte leiden het oog niet af, zodat deze slaapkamer een ideale ruimte is om rustig na te denken.

Zachte natuurtinten zijn ideaal voor een slaapkamer: bruin en grijs van boomschors en verweerd hout, warmbeige van zand en steen, frisgroen van lente en zomer en koelblauw van water en lucht. Die rustige natuurtinten gecombineerd met egale oppervlakken en gladde, koel aanvoelende stoffen scheppen een contemplatieve, kalmerende sfeer.

Kies meubels en accessoires die het getemperde kleurschema versterken en zacht van vorm zijn – een chaise longue, een satijnen sprei, een gestoffeerd hoofdeinde, of stoffen kubussen als nachtkastje. Versterk het kalmerende effect door ervoor te zorgen dat het oog zo min mogelijk wordt afgeleid; je kunt zelfs linnen doeken voor een kast met schappen hangen om de inhoud aan het oog te onttrekken. Zoek naar opbergsystemen die niet alleen mooi maar ook praktisch zijn. Manden passen in bijna alle hoekjes en geven door hun textuur warmte aan de kamer. Als er een open haard aanwezig is of een mooi uitzicht, zet je stoelen neer zodat je daar tijdens het mediteren naar kunt kijken.

Rustgevende kleuren

Verander je slaapkamer in een kleurrijke maar toch rustgevende ruimte met behulp van oosterse elementen.

De kunst van het ontspannen is in oosterse culturen tot in de perfectie ontwikkeld. Door de slaapkamer in te richten met Aziatische elementen – bamboe, zijde, wandtapijten en vloerkleden – kan zelfs van een ruimte met diepe kleuren een weldadige rust uitgaan. Hoewel vooral pastelkleuren als kalmerend worden beschouwd, kunnen ook intense kleuren een lome sfeer geven die met oosters raffinement wordt geaccentueerd.

Het gebruik van kamerschermen als decoratieve scheidingswand is een Aziatische traditie die uitstekend voldoet in een slaapkamer. Deel de slaapkamer op een romantische manier in afzonderlijke ruimten op met schermen van rijstpapier of houtsnijwerk of hang tot de vloer reikende semitransparante gordijnen op aan het plafond om een gedeelte af te scheiden en diffuus licht te creëren.

HET GEHEIM VAN DEZE RUIMTE

Levendige kleuren en doorzichtige doeken creëren een rustgevende sfeer die doet denken aan romantische reizen naar het Verre Oosten.

■ **DOORZICHTIGE DOEKEN** die vanaf het plafond omlaag hangen vormen een soort 'tent' rond het bed. Diezelfde doeken met klittenband bevestigd aan de boekenkast verzachten de rechte lijnen en zorgen voor een harmonisch geheel.

■ **EEN BED ZONDER HOGE RANDEN** versterkt het Aziatische karakter en maakt de ruimte transparant.

■ **KRAAKHELDERE WITTE LAKENS**, een lichtroze dekbed en zijden shiborikussens vormen een tegenwicht tegen de warme kleuren.

■ **BOEIENDE MOTIEVEN** en goedgekozen accenten – kelims op de vloer, geborduurd linnengoed en een Japanse theepot – geven de ruimte een exotisch karakter.

■ **GROTE GLAZEN DEUREN** geven toegang tot de tuin. Door het doorzichtige weefsel van de hangende doeken komt voldoende licht binnen en wordt het uitzicht niet belemmerd.

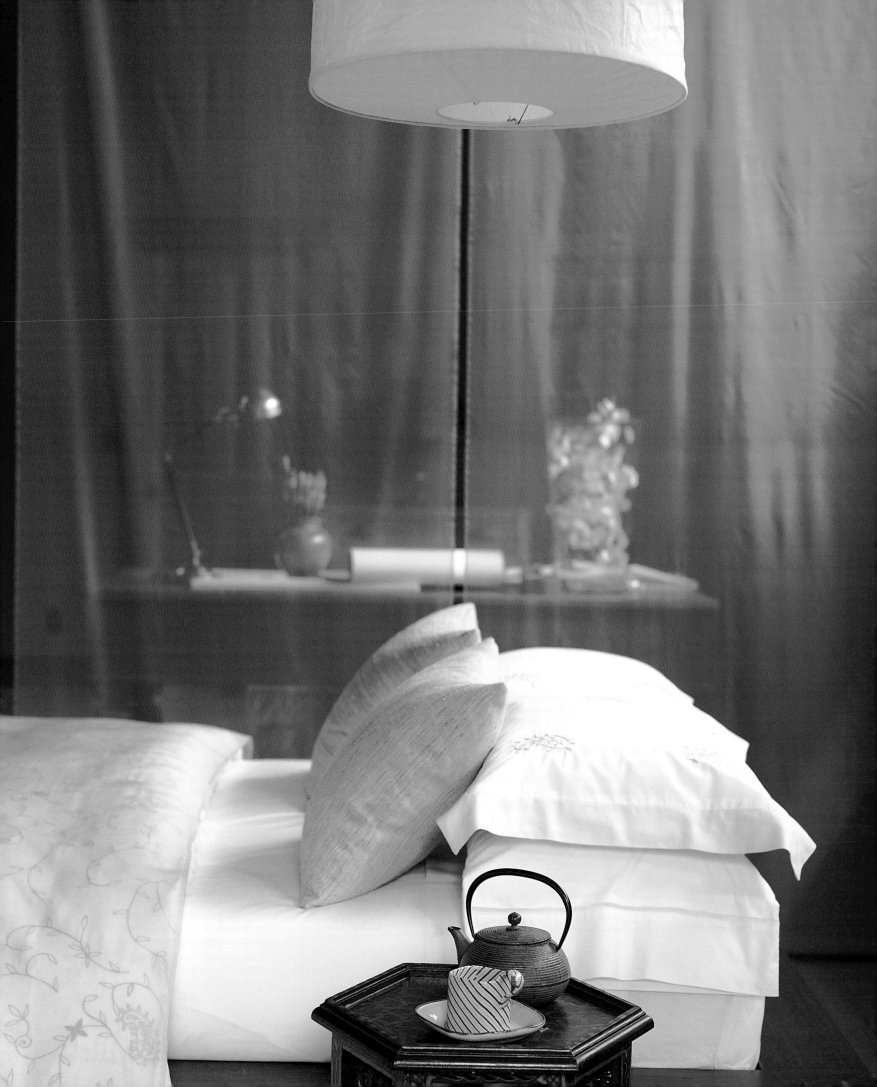

Welk bed kies je?

De moderne bedden zijn luxer en comfortabeler dan ooit en de variatie aan formaten, materialen en stijlen wordt steeds groter. Gezien de hoeveelheid tijd die we in bed doorbrengen, is het kiezen van het juiste bed een van de belangrijkste beslissingen bij het inrichten van een slaapkamer.

Bedenk dat de ombouw van een bed groter is dan het matras, dus houd daar rekening mee bij het aanschaffen van een bed. Kies een ombouw met een stevig hoofdeinde dat voldoende steun biedt om te zitten lezen. Is er voldoende ruimte, kies dan een ombouw met een voeteneinde, dat staat verzorgd. Neem in een kleine kamer een bed zonder voeteneinde en met een smal hoofdeinde. Er zijn ook bedden zonder hoofd- en voeteneinde die een gestroomlijnde, strakke indruk maken. Welk bed je ook kiest, zorg dat er aan weerskanten en aan het voeteneinde voldoende (60-90 centimeter) loopruimte is.

Met een bed zonder hoge randen, *rechts*, kun je alle kanten op. Omdat het geen hoofd- of voeteneinde heeft, kan het overal in de kamer staan. Hier staat het tegen een muur; door de vele kussens lijkt het een uitnodigende divan waarop het heerlijk lezen of luieren is.

ZO DOE JE DAT: HET BEHANDELEN VAN BEDDENGOED

Beddengoed, dat wil zeggen een stel lakens, slopen en een dekbedovertrek, vormt een betrekkelijk goedkope manier om een slaapkamer een nieuw, fris aanzien te geven. Kwaliteitskatoen bestaat uit een weefsel dat minstens 100 draden per cm telt. Hoe meer draden, hoe fijner de lakens. De zachtheid en de koestering van katoenen lakens worden per wasbeurt groter. Je kunt de levensduur van je beddengoed verlengen door het goed te behandelen.

Lakens, dekens en kussens moeten worden bewaard in een goed geventileerde ruimte. Houd vezels fris en droog door linnengoed op te bergen in laden of kasten, schone manden of dozen van zuurvrij karton met deksels die niet te strak zitten.

■ WAS LAKENS APART, niet met handdoeken of ruwe stoffen die de tere vezels kunnen beschadigen.

■ GEBRUIK LAUW WATER en een programma voor de fijne was om de vezels sterk te houden. Als je wasmachine een apart spoelprogramma heeft, gebruik dat dan; zeepresten maakt beddengoed stug.

■ SCHAKEL DE DROOGTROMMEL OP DE LAAGSTE TEMPERATUUR, want hitte is slecht voor katoenen vezels. Strijk de lakens als ze nog enigszins vochtig zijn. Strijk geborduurd of van kant voorzien beddengoed aan de verkeerde kant.

■ LAAT KATOENEN DEKENS CHEMISCH REINIGEN; dat geldt vooral voor losse weefsels.

■ BESCHERM KUSSENS met een van ritssluitingen voorziene hoes. Volg de wasinstructies op het etiket en stel de droogtrommel in op een lage temperatuur. Berg ongebruikte kussens op een droge plaats op.

Ledikant

De sierlijke rondingen van een ouderwets ledikant hebben alle modes overleefd. Tegenwoordig zijn er ook ijzeren ledikanten verkrijgbaar en sommige modellen hebben een opengewerkt voeteneinde. Voor de klassieke houten ledikanten zijn hoofd- en voeteneinden in verschillende hoogtes en stijlen verkrijgbaar.

Leer

Leer heeft het luxe karakter van een comfortabele clubfauteuil. Een leren bed vormt een onmiskenbare blikvanger in de slaapkamer en straalt degelijkheid uit. Doorgestikt leer zoals hier is gebruikt voor het hoofdeinde vormt de ultieme ruggensteun om lekker in bed te lezen.

IJzeren en koperen bedden

Antieke of nieuw gemaakte ijzeren of koperen bedden gaan eindeloos mee. Koop voor een antiek bed een nieuw matras dat modern comfort biedt. Soms zul je een matras op maat moeten laten maken omdat de bedden vroeger smaller waren. Nieuwe kopieën van antieke bedden zien er even mooi uit als originele exemplaren en zijn gemakkelijker te vinden.

Houten hoofdeinde

Als je slaapkamer klein is maar je toch iets wilt hebben om tegenaan te leunen in bed, kies dan voor een zo dun mogelijk hoofdeinde, bijvoorbeeld van hout dat op de muur of aan de bedbak wordt bevestigd. Verf, beschilder of beits het hout in een kleur die bij je kamer past.

Natuurlijke vezels

Riet, rotan, zeegras en andere natuurlijke vezels vormen prachtig materiaal voor een hoofdeinde. Het eenvoudige karakter van natuurlijke vezels zorgt voor een informele, zonnige uitstraling en de open textuur doet minder log aan dan massief houten hoofdeinden.

Losse hoezen

Een hoofdeinde met een losse stoffen overtrek verzacht het karakter en is comfortabeler om tegenaan te zitten. De keus is zeer groot – gestreept of effen linnen voor een gedistingeerd effect, of bloemetjeskatoen als je het romantisch wilt. Met een stoffen overtrek kun je bestaande hoofdeinden camoufleren en je kunt per seizoen een ander stofje kiezen.

In de slaapkamer, waar kleding en andere persoonlijke artikelen worden bewaard, is ruimte kostbaar. Vanzelfsprekend is het voorkomen van chaos in laden en kasten de beste manier om de aanwezige bergruimte optimaal te benutten. Maar er zijn nog veel meer manieren om een slaapkamer efficiënter in te richten. Maak gebruik van ongebruikte wanden en loze ruimten, vooral onder een schuin dak of een laag plafond, waar vrijstaande kasten meestal niet passen. Maak in een zonnige dakkapel een

WOEKEREN MET
DE RUIMTE

HET MAAKT NIET UIT OF JE SLAAPKAMER HET FORMAAT VAN EEN BALZAAL HEEFT OF JUIST ERG KLEIN IS; PROBEER DE RUIMTE OPTIMAAL TE GEBRUIKEN. LAAT JE FANTASIE WERKEN EN HAAL AL HET MOGELIJKE UIT JE SLAAPKAMER.

uitnodigend zitje aan het raam met ingebouwde bergruimte. Breng in inspringende nissen schappen op maat aan of bouw bureauladen in. Door elk beschikbaar hoekje te benutten wordt je slaapkamer functioneler – en persoonlijker. Ladekasten en andere kasten zijn er in verschillende formaten en stijlen en vormen mooie en doelmatige meubels in een slaapkamer. Door een ruimte met meubels van het juiste formaat in te richten lijkt hij groter. Een kleine slaapkamer lijkt groter door smalle kasten op poten. In een grote kamer accentueren grote meubels de ruimte.

Frisse stofjes en vrolijke accenten maken deze slaapsuite op een voormalige zolder tot een eldorado. Doordat het bed in de dakkapel staat, kun je er rechtop zitten en is er ook ruimte voor nachtkastjes.

■ **EEN DRIEHOEKIG RAAM** aan de zijkant van de dakkapel maakt de kamer lichter en doet hem bovendien groter lijken.

■ **DE SMALLE OPENSLAANDE DEUREN,** die uitkomen op een klein balkon, zijn op maat gemaakt voor de ruimte onder het schuine dak; ze doen de kamer groter lijken.

■ **EEN WITGESCHILDERDE KAST** valt minder op omdat hij dezelfde kleur heeft als de wanden.

■ **TWEE FAUTEUILS** met losse witte bekleding houden het totaalbeeld helder en ruim. Een doorzichtig kleed over de ronde tafel zorgt voor een ijl, licht effect.

WOEKEREN MET DE RUIMTE

Een kamer op zolder

Privacy scheppen in een druk huishouden is een kwestie van de trap opgaan. Verander de zolder in een zonnige en knusse slaapkamer.

De bovenste verdieping van een hotel of luxe appartementencomplex is dikwijls het meest in trek vanwege de grote privacy en het schitterende uitzicht. Als je ruimte zoekt voor een fantastische slaapkamer, is de zolder een uitstekende optie. Door grote ramen aan te brengen verander je de zolder in een fantastische, lichte 'toplocatie' en benut je de ruimte in huis optimaal.

Het geheim van een leefbare zolder is hoogte en licht. Om normaal te kunnen lopen heb je voldoende hoogte nodig en om de ruimte leefbaar te maken zo veel mogelijk daglicht. Dakkapellen zijn dé oplossing omdat ze voor meer ruimte en meer licht zorgen. Door ramen en bovenlichten wordt een kamer lichter en lijkt hij groter. Zoek naar mogelijkheden om een dakkapel aan te brengen en overweeg daarbij ook minder geijkte plaatsen en vormen. Als je besloten hebt hoe de kamer eruit zal gaan zien, kan een strak aangehouden kleurschema de ruimte een heldere, eerlijke en ruime uitstraling geven.

Een strak en sober interieur maakt deze slaapkamer bijzonder gedistingeerd, terwijl het open karakter van de totale ruimte behouden blijft.

■ **EEN RUWHOUTEN PILAAR EN BALK** vormen een subtiele afscheiding tussen slaap- en werkgedeelte. Steunpilaren suggereren een gang tussen bureau en slaapruimte.

■ **MEUBELS IN NEUTRALE KLEUREN,** zoals het gestoffeerde hoofdeinde van het bed en de van een losse hoes voorziene stoel, zorgen voor een ruimtelijk effect. Kleurige accenten vallen des temeer op tegen de achtergrond van zwart, wit en neutrale kleuren.

■ **MET EENVOUDIG BEDDENGOED** ziet het bed er ordelijk uit en is het snel op te maken.

■ **DE DONKERE HOUTEN VLOER** vormt een warme basis voor deze ruimte en een harmonische verbinding tussen slaapruimte en werkhoek.

WOEKEREN MET DE RUIMTE

Zonder tussenmuren

Als je een ruim huis hebt en dat wilt accentueren, bedenk dan dat overdaad schaadt. Juist door een grote ruimte strak en eenvoudig te houden komt het open karakter beter tot zijn recht.

Wonen in een grote ruimte zonder tussenmuren vereist een doordacht gebruik van de ruimte. Misschien heb je zo veel ruimte dat het moeilijk is om verschillende leef-gedeelten van elkaar te scheiden. Een mogelijke oplossing is de ruimte opsplitsen door halve tussenwanden of grote meubels. Een alternatief is het gebruik van pilaren of balken om op een subtiele manier ruimtes te markeren en visueel van elkaar te scheiden. Het aantrekkelijke van een ruimte zonder tussenmuren is het open karakter, dus buit dat uit. Kies grote meubels die passen bij de afmetingen van de kamer en zet ze vrij in de ruimte, dat heeft een rustgevend en chic effect. Voeg een paar goedgekozen attributen toe die door hun vorm het gevoel van ruimte accentueren. In een open woonruimte zonder tussenmuren is het slaapgedeelte dikwijls zichtbaar, zodat het daar altijd opgeruimd moet zijn. Beddengoed in neutrale kleuren verhoogt het idee van helderheid en rust; met gekleurde kussens en andere accessoires kun je de boel opvrolijken.

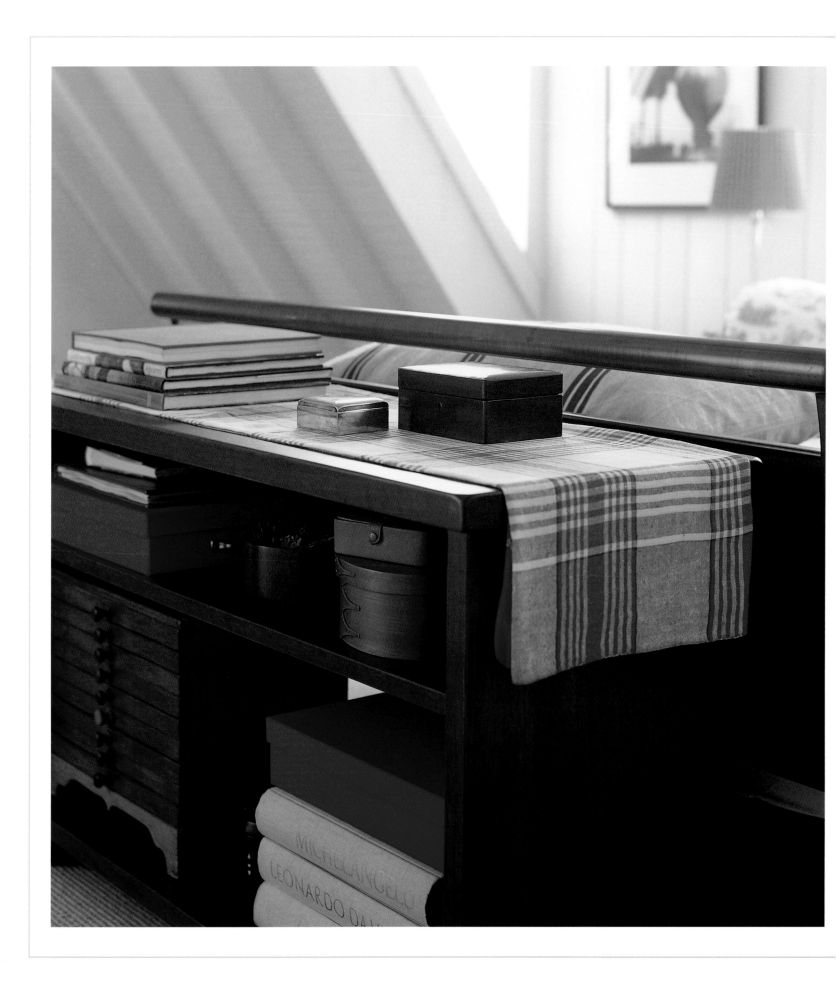

DE LOZE RUIMTE AAN HET VOETEINDE VAN HET BED BIEDT PLAATS VOOR DIERBARE SPULLETJES EN SLIMME OPBERGSYSTEMEN.

Een lage tafel met vakken, *links*, die meestal in de zitkamer staat, past qua hoogte en lengte dikwijls precies aan het voeteneinde van het bed. Hier komt het rood van het bed-dengoed terug in de decoratieve dozen en de loper op de tafel.

Houten bankjes, *linksboven en midden*, bieden plaats aan manden en dozen erop en eronder voor extra bergruimte. Ook extra dekens zijn zo binnen handbereik en bovendien kun je er je kleren op kwijt. Het grenen bankje (boven) biedt ruimte voor kleine spulletjes en fungeert als toiletta-fel – ook erg handig voor logees.

Twee bijzettafeltjes, *rechtsboven*, kunnen als bergplaats aan het voeteneinde dienen. Een stapel boeken vult de tussenruimte op en een loper maakt er een geheel van. Onder elk tafeltje past een mand met tijdschriften.

Een klaptafeltje, *rechts*, is gemakkelijk verplaatsbaar en je kunt er allerlei spulletjes op kwijt. In een logeerkamer kan de gast er zijn koffer op kwijt.

Een van de grootste complimenten voor een gastheer of -vrouw is de verzekering dat de logés graag nog eens terug komen. Zulke complimenten maken het ontvangen van gasten heel prettig. Zowel bij het opknappen van een bestaande logeerkamer als bij het inrichten van een andere ruimte als gastenverblijf is privacy het belangrijkste uitgangspunt. Geef gasten een kamer waar ze zich op hun gemak kunnen voelen. Zorg dat er ook in een logeerkamer die daarnaast nog andere functies heeft, zo veel ruimte is

EEN GASTVRIJE
LOGEERKAMER

GASTEN MAAK JE BLIJ MET KLEINE ATTENTIES. EEN PERFECTE LOGEERKAMER BIEDT PRIVACY EN COMFORT, EN HEEFT NET DAT EXTRA'S WAARDOOR LOGÉS ZICH WELKOM VOELEN.

dat gasten hun spullen kunnen uitpakken en de kamer kunnen beschouwen als hun eigen domein.

Besteed vervolgens aandacht aan de kwaliteit en het comfort van het bed en koop de beste kwaliteit die je je kunt veroorloven. Vooral als de gasten gebruikmaken van een slaapbank, is het verstandig om zelf uit te proberen of het matras comfortabel genoeg is voor een goede nachtrust. Maak het bed op met mooi beddengoed zodat je gasten zich verwend voelen en zorg voor een gastvrije sfeer met kleine attenties. Een schaaltje lekkers, een behaaglijke foulard, een kristallen karaf ijswater, een nieuw stuk geurige zeep, en extra handdoeken, dekens en kussens – zulke van aandacht getuigende accenten zijn hét kenmerk van een goede gastvrouw. Vergeet ten slotte niet om verse bloemen neer te zetten. Zelfs een eenvoudig boeketje staat feestelijk.

Een warm welkom

Anticiperen op de wensen van logés is hét geheim van gastvrijheid. Creëer een logeerruimte
waar je zelf ook graag in zou vertoeven.

Als je zo gelukkig bent dat je ruimte hebt voor een gastenverblijf in een extra kamer, studio of bijgebouwtje,
kun je zonder problemen vrienden en familie laten logeren. Creëer een rustig plekje waar je op elk moment
logés kunt ontvangen door een altijd opgemaakt bed en
comfortabele accessoires.

Ga bij de inrichting te werk alsof het om een eenkamer-
appartement gaat. Dat gaat verder dan een comfortabel
bed. Zorg voor een mogelijkheid om te ontbijten, een
brief te schrijven of 's middags met een boek weg te duiken in een gemakkelijke stoel. Vul een lade- of legkast met
dekens en beddengoed, kussens, foulards, handdoeken en
een badjas. Zet een waterkoker en een mandje theezakjes
neer zodat de logés het zich gemakkelijk kunnen maken.

HET GEHEIM VAN DEZE RUIMTE

Deze frisse kamer, die als logeerkamer dient én als rustig plekje voor de
bewoners, geeft gasten het idee van
een eigen appartementje.

■ EEN COMFORTABELE BEDBANK is een
uitstekende keus voor logés omdat je er
ook heerlijk op kunt luieren, lezen of een
middagdutje doen.

■ EEN TAFEL MET EEN POOT IN HET MID-
DEN is een knus plekje om te ontbijten of
een brief te schrijven en dient 's nachts
als nachtkastje.

■ EEN GROTE KAST biedt volop ruimte
voor beddengoed, een badjas en kleding
van de logé.

■ EEN STAPEL HOEDENDOZEN fungeert
als nachtkastje en opbergruimte.

■ PRACHTIG TEXTIEL — katoenen beddengoed, een matelassedeken, een linnen ta-
felkleedje en een hoogpolig tapijt —
maakt deze kamer tot een aangename en
comfortabele plek.

De luxe van rust

Rust is een van de prettigste eigenschappen die een logeerkamer kan hebben. Houd de inrichting daarom helder en strak.

Soms is de grootste luxe op reis een rustige plek om op verhaal te komen. Laat je bij het inrichten van een logeerkamer inspireren door vriendelijke hotelletjes en schep een koesterende, kuuroordachtige omgeving. Combineer strakke meubels met behaaglijke stoffen van goede kwaliteit en op de natuur geïnspireerde accessoires om een sfeer van reflectie en rust te scheppen.

Begin met het beddengoed. Overdrijf niet en kies liever een dekbed of dekens in een neutrale kleur en van uitnodigende, zacht aanvoelende stoffen. Stouw de kamer niet vol met meubels en gebruik geen opdringerige kleuren; voeg liever een of twee accenten in een wat sprekender kleur toe – misschien een exotische bloem of een decoratieve fles lotion – om de rust van de kamer te benadrukken.

HET GEHEIM VAN DEZE RUIMTE

Gasten voelen zich thuis in de rustige, besloten sfeer van deze slaapkamer. De meubels zijn eenvoudig en helder, en met zorg gekozen accenten versterken het serene karakter van deze kamer.

■ OP EEN AAN DE MUUR BEVESTIGDE PLANK, waarvan de strakke lijnen worden verzacht door een mooie loper, kan de gast zijn spulletjes kwijt, zodat een nachtkastje overbodig is en de ruimte groter lijkt.

■ BEDDENGOED MET EEN MOOIE TEXTUUR en een handgemaakte gestikte deken benadrukken het comfort van het bed.

■ EEN RUSTIEK HOUTEN BANKJE biedt de mogelijkheid om te zitten bij het aankleden. De simpele vorm ervan versterkt het pretentieloze interieur.

■ EÉN BLOEM in een schaal met drijfkaarsjes accentueert de serene sfeer. Overal in de kamer zorgen kaarsen en wierook voor warmte en geur.

■ EEN PAAR BESCHEIDEN ACCENTEN maken het geheel af zonder opdringerig te zijn.

Landelijk behaaglijk

Bied gasten de mogelijkheid om het hectische bestaan van alledag van zich af te zetten in een kamer met de eerlijke charme van een zomerhuis op het platteland.

Stel je een vakantiehuisje voor aan een meer of strand waar je ooit zo fijn hebt gelogeerd. Het heerlijke zat hem hoogstwaarschijnlijk niet in de luxe, maar vooral in een verkoelend briesje en ontspannen middagslaapjes tussen lakens die naar de frisse buitenlucht geurden. Geef gasten die blijven logeren de kans om zorgen van zich af te zetten in een pretentieloze kamer die een vakantiegevoel van zorgeloos comfort oproept.

Begin met een schone lei om de kamer de informele sfeer van een zomerhuisje te geven. Een volledig witte achtergrond roept niet alleen de gedachte aan witgestuukte huisjes in warme streken op, maar biedt ook de meeste mogelijkheden om met behulp van ander beddengoed of accessoires een compleet andere kamer te creëren. Houd het meubilair vooral simpel. Veel mensen houden van een opgeruimde kamer, dus een comfortabel bed, een bescheiden nachtkastje en een mooie lamp zijn voldoende. Kraakhelder beddengoed in frisse kleuren doet de rest.

HET GEHEIM VAN DEZE RUIMTE

Helder zonlicht, witgeverfde muren en kraakhelder linnengoed maken van deze kamer een heerlijke ruimte die doet denken aan vakanties aan het water.

■ **WITTE MUREN EN EEN WITTE VLOER** vormen een schone, frisse achtergrond die het zonlicht weerkaatst en de kamer groter doet lijken.

■ **GEKLEURD BEDDENGOED,** zoals de lakens van boerenbont, de doorgestikte deken en de jacquard sprei, staat heel vrolijk. Textuur is vooral belangrijk in een kamer met veel wit omdat textuur nog meer dan kleur aantrekkelijk is voor het oog.

■ **EEN BEDROK MET OPEN ZOMEN** herinnert aan een tijd waarin antiek linnengoed gereserveerd was voor speciale gasten.

■ **WITGESCHILDERDE, BETIMMERDE WANDEN** roepen de sfeer op van een vakantiehuisje.

■ **HET AANTAL SNUISTERIJEN** is tot een minimum teruggebracht en past in het rood-witte kleurenschema.

BADEN

'VOOR MIJ IS DE BADKAMER HET ULTIEME TOEVLUCHTS-OORD. IK MOET MIJ ER IN ALLE RUST KUNNEN TERUG-TREKKEN EN HIJ MOET VOOR-ZIEN ZIJN VAN OPWEKKENDE EN AANGENAME VOOR-ZIENINGEN DIE APPELLEREN AAN AL MIJN ZINTUIGEN.'

KENMERKEN VAN EEN GESLAAGDE
BADKAMER

Meer dan ooit kan ook de badkamer in dezelfde stijl en even comfortabel als de rest van je huis worden ingericht.Vroeger waren badkamers no-nonsense ruimtes waar snel gebruik van werd gemaakt – netjes, maar vooral functioneel. Natuurlijk is functionaliteit ook nu nog belangrijk. Maar we zijn de badkamer heel anders gaan zien en er zijn veel meer mogelijkheden om hem in te richten. Een groeiend verlangen naar harmonie in ons leven betekent dat de badkamer letterlijk een grotere plaats is gaan innemen. Het is nu een ruimte om uren in door te brengen – niet alleen om schoon te worden maar ook om te ontspannen en te dromen. De badkamers op de bladzijden hierna tonen slechts een paar mogelijke ontwerpen voor een heldere, warme en comfortabele badkamer.

Het ontwerpen van een badkamer

Bij het plannen van een moderne badkamer moet je uitgaan van de ruimte en nagaan hoe je daar je wensen in kunt realiseren. Met zo veel keus is een wensenlijstje een uitstekend begin.

Meer dan in elke andere ruimte bepaalt de manier waarop je de badkamer wilt gebruiken wat de meest praktische inrichting is. Er zijn allerlei manieren om ook zonder grondige verbouwing een bestaande badkamer functioneler en comfortabeler te maken door bepaalde voorzieningen aan te brengen. Ga minstens een week lang na hoe je de bestaande badkamer gebruikt. Maak een lijstje van dingen die je anders zou doen als dat zou kunnen. Zie je de badkamer als de enige plek waar je alleen kunt zijn of deel je hem juist graag met het hele gezin? Als je graag lang in bad zit en je nieuw sanitair kunt

veroorloven, is een ligbad de ultieme kuuroordervaring, en een kingsize douchecel met matglazen deuren maakt douchen tot een compleet nieuwe belevenis. Maar ook zonder torenhoge rekening van de aannemer kun je een vergelijkbaar effect bereiken door gewoon een comfortabele stoel of een krukje in de douche neer te zetten, een extra grote douchekop of stoomdouche te installeren of speciale verlichting aan te brengen zodat je in bad kunt lezen. Ga zo ook je overige behoeften en wensen na – op het gebied van bergruimte, verlichting en decoratie – en realiseer je dat de mogelijkheden variëren van een volledige verbouwing tot het vernieuwen van het douchegordijn en het kopen van nieuwe handdoeken. Zelfs kleine veranderingen kunnen hier veel effect hebben. Stel je wensenlijst samen op grond van een grondige evaluatie van het dagelijkse gebruik, en ga vervolgens na hoe je je wensen zo aangenaam mogelijk kunt vervullen.

DE ULTIEME BADKAMER

Deze grote badkamer (hierboven en vorige bladzijde) is typerend voor onze nieuwe kijk op deze ruimte. De badkamer dient niet meer uitsluitend om te baden of te douchen en daarom vind je er ook meubilair dat tot voor kort voorbehouden was aan andere vertrekken.

■ EEN VRIJSTAANDE BADKUIP wordt steeds populairder in moderne badkamers. Bij deze opstelling krijgt de mooie vorm van de kuip alle aandacht.

■ GROTE RAMEN zoals die in de zitkamer heel gewoon zijn zorgen hier voor volop daglicht.

■ EEN HOUTEN TOILETTAFEL brengt textuur en warmte in de ruimte en contrasteert fraai met het koele witte sanitair. Manden en groene planten zorgen voor nog meer textuur.

■ EEN CHAISE LONGUE nodigt uit tot luieren en genieten van zonlicht en rust.

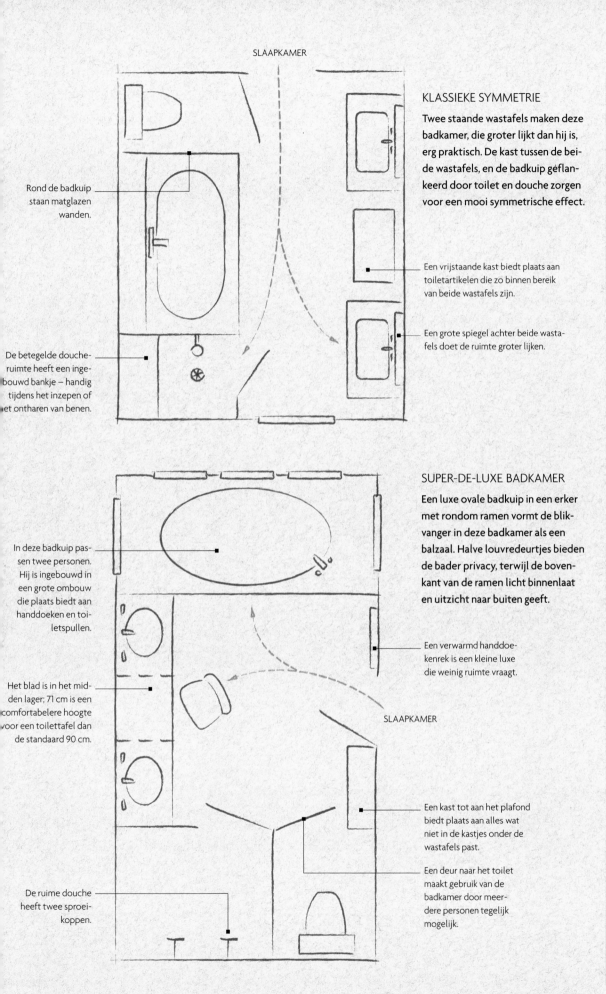

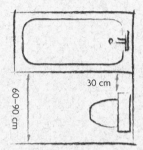

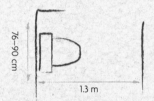

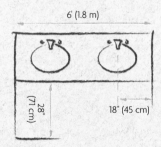

SLAAPKAMER

KLASSIEKE SYMMETRIE

Twee staande wastafels maken deze badkamer, die groter lijkt dan hij is, erg praktisch. De kast tussen de beide wastafels, en de badkuip geflankeerd door toilet en douche zorgen voor een mooi symmetrische effect.

Rond de badkuip staan matglazen wanden.

Een vrijstaande kast biedt plaats aan toiletartikelen die zo binnen bereik van beide wastafels zijn.

De betegelde doucheruimte heeft een ingebouwd bankje – handig tijdens het inzepen of het ontharen van benen.

Een grote spiegel achter beide wastafels doet de ruimte groter lijken.

SUPER-DE-LUXE BADKAMER

Een luxe ovale badkuip in een erker met rondom ramen vormt de blikvanger in deze badkamer als een balzaal. Halve louvredeurtjes bieden de bader privacy, terwijl de bovenkant van de ramen licht binnenlaat en uitzicht naar buiten geeft.

In deze badkuip passen twee personen. Hij is ingebouwd in een grote ombouw die plaats biedt aan handdoeken en toiletspullen.

Een verwarmd handdoekenrek is een kleine luxe die weinig ruimte vraagt.

Het blad is in het midden lager; 71 cm is een comfortabelere hoogte voor een toilettafel dan de standaard 90 cm.

SLAAPKAMER

Een kast tot aan het plafond biedt plaats aan alles wat niet in de kastjes onder de wastafels past.

Een deur naar het toilet maakt gebruik van de badkamer door meerdere personen tegelijk mogelijk.

De ruime douche heeft twee sproeikoppen.

BENODIGDE RUIMTE

Door een plattegrond van je badkamer te tekenen kun je zien welk sanitair er past. Probeer verschillende opstellingen, totdat je er een hebt gevonden die aan je wensen voldoet. Ga uit van de minimale maten die hier worden gegeven om voldoende loopruimte over te houden.

30 cm

60-90 cm

Badkuip

Laat ten minste 30 cm ruimte tussen de badkuip en bijvoorbeeld een wastafel en 60-90 cm tussen bad en muur. Voor een doucheruimte is een ruimte van minstens 90 × 90 cm nodig; zorg ervoor dat de deur van de douchecel helemaal open kan.

76-90 cm

1.3 m

Toilet

Tussen het toilet en de muur er tegenover moet 1,3 meter ruimte zijn. Reken voor de breedte 76-90 cm.

6' (1.8 m)

28" (71 cm)

18" (45 cm)

Wastafels

Voor twee wastafels is minimaal 1,8 meter ruimte nodig. Het midden van een wastafel moet minstens 45 cm van de aangrenzende muur verwijderd zijn. Reken 71 cm ruimte om voor de wastafel te staan en hem te gebruiken.

Waarschijnlijk is geen enkele ruimte in huis ingrijpender veranderd dan de badkamer. We hoeven maar enkele tientallen jaren terug te gaan om ons te herinneren hoe klein badkamers vroeger waren en hoe beperkt de inrichtingsmogelijkheden. Tegenwoordig is de badkamer veel groter en zijn er veel meer mogelijkheden om die ruimte in te richten en aan te kleden. Afgezien van de basisattributen kun je een dubbele douche én een ligbad installeren, of kleedruimte, inloopkasten en zelfs fitnessapparaten in het

DE KLASSIEKE BADKAMER IN
EEN NIEUW JASJE

NIEUW SANITAIR IS NOG MAAR HET BEGIN VAN DE HERINRICHTING VAN EEN BADKAMER. DE NIEUWE BADKAMER HEEFT ALLES TE MAKEN MET COMFORT, DUS MAAK DE JOUWE EVEN COMFORTABEL ALS DE ANDERE KAMERS IN JE HUIS.

ontwerp opnemen. Misschien wil je een echte 'natte ruimte' waar alle oppervlakken waterbestendig zijn of een stijlvolle badkamer met materialen en meubilair die meestal eerder in andere kamers in het huis worden aangetroffen. Houten ladekastjes, een mooie houten vloer en comfortabele leunstoelen zijn tegenwoordig in de badkamer net zo gebruikelijk als in de zit- of slaapkamer. De ruimte die vroeger de meest praktische in huis was, wordt steeds meer de meest persoonlijke, dus moet hij jouw eigen stijl en karakter weerspiegelen. Omdat we de badkamer steeds meer zien als een natuurlijke voortzetting van de rest van het huis, maken we hem steeds luxer en comfortabeler, en daardoor is het concept 'badkamer' volledig veranderd.

HET GEHEIM VAN DEZE RUIMTE

In deze lichte, grote badkamer is plaats voor zowel functionele zaken als decoratieve meubels.

■ **EEN HOUTEN KASTJE** met een marmeren bovenblad is kenmerkend voor de nieuwe trend in badkamers. Een creatief gebruik van meubels in de badkamer maakt de ruimte interessanter en persoonlijker.

■ **EEN BADKUIP OP POOTJES** baadt in het zonlicht dat door het erkerraam naar binnen komt en vormt een prachtige blikvanger.

■ **DE NAADLOZE GLAZEN WANDEN** rond de douchecel met dubbele sproeikop doen de ruimte nog transparanter lijken.

■ **EEN ANTIEK HOUTEN BANKJE** en een metalen tafeltje vormen persoonlijke, warme accenten die tegenwicht bieden tegen de grote afmetingen van de ruimte.

DE KLASSIEKE BADKAMER IN EEN NIEUW JASJE

Een ruimtelijk ontwerp

Breek met de standaard badkamer en maak er een licht vertrek van vol bouwkundig interessante details en bijzondere meubels.

De tendens om de badkamer meer ruimte te geven wijst op een groeiende erkenning van het belang van deze ruimte in ons leven als een plek om op adem te komen en te ontspannen. Als je de luxe van een grote badkamer hebt, profiteer daar dan van door zo veel mogelijk daglicht binnen te laten en de ruimte open en luchtig te houden. In een dergelijke ruimte vormt een vrijstaand bad een vanzelfsprekend middelpunt en door het voor een raam te zetten krijg je het meeste licht. Grote ramen, bovenlichten en zelfs openslaande deuren naar de tuin worden in de moderne badkamer steeds gewoner.

Ook de doucheruimte is groter en luxer geworden. Het mooiste effect krijg je met een matglazen cabine in plaats van een douchegordijn, omdat daardoor zelfs in een kleine ruimte een idee van ruimte ontstaat. Profiteer van de grote variatie aan sanitair en armaturen die tegenwoordig verkrijgbaar zijn, zoals regendouches, stoomdouches en dubbele douches.

De natte ruimte

Stap eens af van de traditionele badkamer met scheidingsmuurtjes en kies voor een open ruimte waarin naar hartenlust met water geknoeid mag worden.

In een echt 'natte ruimte' mag alles nat worden; in het midden van de vloer bevindt zich een afvoerputje, dat een aparte douchecel overbodig maakt. Natte ruimten zijn minder gestructureerd en nonchalanter dan een standaard badkamer en je kunt je volledig overgeven aan het genot van baden en douchen.

Je kunt ook kiezen voor een inloopdouche en alleen dat gedeelte waterbestendig maken. Maar ook dan moet de vloer afhellen naar een afvoer in het midden, om te voorkomen dat de ruimte blank komt te staan. Ongeglazuurde plavuizen vormen hier de beste keus omdat ze meer grip bieden dan gladde tegels als ze nat zijn. Het is verstandig om ook een droog gedeelte in te plannen, zodat handdoeken en badjassen niet nat worden.

HET GEHEIM VAN DEZE RUIMTE

In deze ruimte zijn alle oppervlakken waterbestendig. Door het ontbreken van scheidswanden of douchegordijnen kan hier naar hartenlust van water worden genoten.

■ DOOR DE GROTE RAMEN stromen licht en frisse lucht naar binnen zodat de natte oppervlakken kunnen drogen. De matglazen voorzetruiten van acryl mogen nat worden en zorgen voor privacy. Boven de wastafel, waar een spiegel onmisbaar is, zijn de ruiten vervangen door spiegelglas.

■ EEN VRIJSTAAND BAD rust op een brede verhoging, die in de hoek een doucheruimte begrenst. Doordat de kranen aan de zijkant op de vloer zijn bevestigd, kan degene die een bad neemt aan beide kanten zijn hoofd op de badrand laten rusten.

■ DE HELE VLOER is betegeld met leisteenplavuizen, wat een natuurlijk aanzien geeft en voor voldoende grip zorgt.

■ DE GESTUUKTE MUREN zijn met speciale badkamerlatex geverfd.

■ GLADDE KIEZELSTENEN en zeesterren vormen een passend stilleven.

Meubels die meestal in andere ruimtes worden aangetroffen, maken van deze badkamer een heerlijke ruimte. Door de zichtbare balkenstructuur van het zomerhuis waar deze badkamer bij hoort, krijgt de ruimte extra charme.

■ NATTE EN DROGE GEDEELTEN zijn door een slimme plaatsing van het meubilair bepaald. Vloerkleden accentueren deze scheiding op een subtiele manier: badstof op bamboe voor de badkuip, een zacht tapijt in het zitgedeelte.

■ EEN TRANSPARANT BALDAKIJN maakt het vrijstaande bad tot een blikvanger.

■ MAXIMALE VENTILATIEMOGELIJKHEDEN houden deze badkamer droog. Materialen als katoenen keperstof op de stoel zijn geschikt voor een badkamer en de rustieke houten wanden zijn geschilderd en van een extra beschermlaag voorzien.

DE KLASSIEKE BADKAMER IN EEN NIEUW JASJE

De knusse badkamer

De badkamer is meer dan een ruimte om in bad te gaan. Kies comfortabele meubels om een romantische, persoonlijke ruimte te creëren.

Als je badkamer toch groot genoeg is, kun je hem veranderen in een privékuuroord door meubels, stoffen en accessoires te kiezen die uitnodigen tot een langdurig verblijf. Stoelen met losse hoezen vormen een behaaglijke plek om te lezen of tot rust te komen (kies hoezen van gemakkelijk wasbaar materiaal zoals keper, denim, chenille, badstof of linnen). Matten of vloerkleden met een opvallend dessin zoals oosterse tapijten of kelims zijn zacht aan de voeten en zorgen voor een ruimtelijke verdeling. Een ladekastje in de badkamer zorgt voor praktische bergruimte en de warme houtkleur vormt een goed tegenwicht tegen de overige, koele materialen. Zorg wel dat het hout geschilderd of goed met lijnolie is behandeld zodat het tegen vocht kan.

In een gemeubileerde badkamer is een praktische indeling belangrijk. Het is handig om afzonderlijke gedeelten voor baden, lichaamsverzorging en luiers te plannen en daartussen zo veel ruimte open te laten dat de niet-baders droog blijven.

DE KLASSIEKE BADKAMER IN EEN NIEUW JASJE

Materialen

Dankzij de grote keus aan materialen kan de badkamer aan elke smaak worden aangepast. Combineer warm hout met koel metaal en tegels voor een frisse, schone uitstraling.

In een badkamer worden de materialen noodzakelijkerwijs gekozen op grond van hun doelmatigheid. De keus uit prachtige materialen is tegenwoordig haast onbeperkt en er zijn talloze verrassende combinaties mogelijk.

Tegels zijn er al eeuwenlang, maar dankzij moderne ontwerpen en productietechnieken is de verscheidenheid groter dan ooit. Mozaïektegels, vooral getrommelde of achthoekige tegeltjes, worden dikwijls gebruikt om de badkamer een luxe, ouderwets karakter te geven. Maar in combinatie met moderne designelementen – open houten kastjes, roestvrijstalen rekken, extravagante wastafels – ziet mozaïek er juist heel modern uit, vooral in nieuwe materialen als glas of metallic. Denk eraan dat gladde tegels in de badkamer gevaarlijk zijn; sommige soorten komen daardoor niet in aanmerking voor de vloer.

Wasbakken en kranen

Wasbakken vormen een onmisbaar element in de badkamer en je hebt keus uit het hele scala van namaakklassieke modellen tot ultramoderne vormen. Een wastafel kan ruimtebesparend gemonteerd zijn aan de wand, of boven op een kastje dat bergruimte biedt. De nieuwste trend is waskommen die op een uit de muur naar voren springend blad staan. Vrijwel elke kom is als waskom te gebruiken, zolang de waterleiding er maar op aangesloten kan worden. Staande wastafels vormen een andere mogelijkheid en ook die zijn in allerlei soorten en maten verkrijgbaar.

De keus in armaturen en badkameraccessoires – begrippen waarmee kranen, handgrepen en andere onderdelen worden bedoeld – is even groot als die in sanitair. Veelgebruikte materialen zijn chroom, nikkel, tin en roestvrij staal, in gepolijste, geborstelde of matte uitvoering. Alternatieven zijn bijvoorbeeld koper, brons en messing. Let bij het kopen van kranen op dat de arm van de kraan zo lang is dat de waterstraal in de afvoer terechtkomt. Zie pagina 358, 'Materialen', voor meer informatie over wastafels.

Verschillende typen kranen, *met de klok mee vanaf linksboven*: een ouderwets model met hefboomhandgrepen, een klassieke kraan in Engelse stijl, een zwanenhalskraan en een in de muur bevestigde kraan met een staafvormige bedieningshandel.

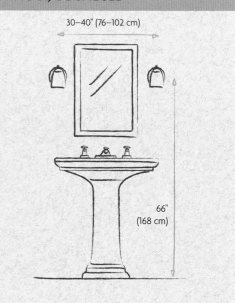

ZO DOE JE DAT: VERLICHTING BIJ DE SPIEGEL

Een lamp bij de wastafel of spiegel moet voldoende licht geven om make-up op te brengen of te scheren. Als je voor tl-licht kiest, neem dan de daglichtversie; de normale fluorescentielampen kunnen de huid een onnatuurlijke tint geven. Ook halogeenlampen geven helderwit licht. Wat voor armaturen je ook kiest, gebruik melkglas; doorzichtig glas kan verblindend werken en ondoorschijnende kapjes houden te veel licht tegen.

Plaatsing van de armaturen

Om het gezicht egaal te belichten kun je de spiegellampjes het best op ooghoogte bevestigen, ongeveer 168 cm vanaf de vloer en ongeveer 76-102 cm uit elkaar. Licht van weerszijden is beter dan een lichtpunt boven de spiegel, omdat dit onflatteuze schaduwen kan veroorzaken.

30–40" (76–102 cm)

66" (168 cm)

Staande wastafel

Een klassiek badkameraccessoir is een wastafel op een voet, die gedeeltelijk de aansluiting op de watertoevoer camoufleert. Staande wastafels laten de badkamer groter lijken omdat ze minder visuele ruimte innemen dan een toilettafel met wasbekken. Omdat staande wastafels geen bergruimte bieden, moet je wel voldoende ruimte hebben voor extra kastjes.

Hangende wastafel

In kleine badkamers is een hangende wastafel erg praktisch omdat hij de vloer vrij laat, waardoor de ruimte groter lijkt. De afgebeelde wastafel is een moderne versie. Het slimme ontwerp camoufleert de aansluitpunten van de waterleiding en is bovendien voorzien van een dubbele stang voor handdoeken. Zoek een model met een brede rand rond de waskom als je geen schap of tafeltje wilt om toiletartikelen op te zetten.

Wasbekken

Deze opvallende moderne waskom gaat terug op de klassieke Victoriaanse waskom van porselein die vroeger op ieders nachtkastje stond. Deze waskommen staan op een hoogte die comfortabeler is bij het wassen en functioneren optimaal in combinatie met een aan de muur bevestigde kraan. Ze zijn verkrijgbaar in allerlei vormen en materialen, waaronder keramiek, metaal en glas.

Hoekwastafel

Dit model bespaart veel ruimte en is soms de enige mogelijkheid om een wasgelegenheid aan te leggen. Kleine hoekwastafels zoals deze zijn erg populair in kleedkamers. Er zijn voor lastige ruimtes allerlei aangepaste modellen en formaten verkrijgbaar. In dit geval harmonieert de wastafel dankzij de decoratie aan de onderkant met het ouderwetse bad.

Consolewastafel

Consoles hebben twee of vier poten en een of twee waskommen. Tweepotige modellen steunen tegen de muur. Hoewel deze wastafels oorspronkelijk populair waren als kopieën van antieke modellen, zijn ze nu ook in eigentijdse vormen verkrijgbaar, dikwijls uitgerust met een handdoekenrek. Bij handelaars in oude bouwmaterialen zijn ook nog steeds antieke exemplaren te vinden.

Wasmeubel

Een antiek tafeltje kan met moderne voorzieningen een ouderwetse sfeer in de badkamer brengen. Hier werden in een victoriaans eikenhouten tafeltje twee waskommen aangebracht. Houten meubels geven warmte aan een badkamer, maar moeten wel tegen water worden beschermd. Ook in een ladekastje kan een waskom worden gemonteerd, maar dan moet een deel van de ruimte worden opgeofferd aan de aansluiting op de waterleiding.

Vroeger, toen de hele familie gebruik moest maken van een kleine badkamer, was het een hele toer om een rooster te maken voor het badritueel. Tegenwoordig wonen de meeste gezinnen ruimer, maar is er nog steeds meestal maar één badkamer. Iedereen wil een badkamer die aangepast is aan zijn behoeften. Ouders en kinderen hebben ieder hun eigen speciale wensen en dat geldt ook voor gasten. Ook als het onmogelijk is om iedereen een eigen toilettafel en wasbak te geven, zijn er oplossingen te bedenken om toch een eigen plekje te hebben. Rekken

EEN BADKAMER VOOR
HET HELE GEZIN

EEN BADKAMER VOOR HET HELE GEZIN IS PRETTIG ALS JE REKENING HEBT GEHOUDEN MET IEDERS BEHOEFTEN. ZORG DAT IEDER GEZINSLID EN IEDERE GAST HET GEVOEL HEEFT DAT ER AANDACHT IS BESTEED AAN ZIJN WENSEN.

waaraan iedereen zijn eigen handdoek kan hangen – een belangrijke eerste stap – zijn eenvoudig aan te brengen. Deel de ruimte zo in dat iedereen maximale privacy heeft en zorg voor kastruimte waarin iedereen zijn spulletjes kwijt kan. Ingebouwde kastjes zijn het meest praktisch en de mogelijkheden variëren van een eenvoudige, handig ingedeelde kast onder de wasbak tot een afzonderlijke luxe inloopkleedruimte voor hem en haar; heel praktisch als bergruimte zijn ook schappen, die in de meeste badkamers gemakkelijk aan te brengen zijn. Door basisbenodigdheden als handdoeken en tissues op een aantrekkelijke manier klaar te leggen en op te bergen maak je de badkamer zowel gezellig als praktisch.

Deze heldere, luxe badkamer is even mooi als praktisch en vormt een modern toevluchtsoord om samen van de ochtend of de avond te genieten.

HET LIGBAD is aan drie kanten omgeven door ramen, die de hele ruimte verlichten. Rolgordijnen op maat zorgen voor privacy.

MOOIE NIKKELEN LAMPJES aan weerszijden van de twee spiegels zorgen voor evenwichtige verlichting overdag of 's avonds.

EEN ONDIEPE KAST biedt nuttige bergruimte rond de staande wastafels. De 30 cm diepe kast heeft niet alleen laden, maar biedt op de bovenkant ook ruimte voor toiletartikelen.

PLANKEN BOVEN DE BADKUIP bieden plaats aan een geluidsinstallatie en een klein televisietoestel om vanuit het bad naar te kijken.

EEN BADKAMER VOOR HET HELE GEZIN

Een bad voor iedereen

Een gemeenschappelijke badkamer is voor sommigen dé manier om samen de dag te beginnen of te besluiten in een ruimte die ingericht is op comfort.

In drukke gezinnen is de badkamer vaak een belangrijke plek waar je samen het programma voor de komende dag kunt bespreken of op adem kunt komen als de kinderen in bed liggen. Daarvoor heb je een lichte badkamer nodig die stimuleert om de dag te beginnen maar tegelijkertijd stemmig en rustgevend genoeg is om de dag te besluiten.

Richt de badkamer zo in dat het prettig is om er te zijn. Een muziekinstallatie of tv voor het ochtendnieuws en een gemakkelijke stoel dragen bij aan het comfort. Houd kaarsen, lucifers en kalmerende reukstoffen bij de hand zodat de kans dat je ze dagelijks gebruikt groter wordt.

Niets is beter voor je energie dan daglicht, dus laat de ramen zo veel mogelijk vrij en vul het daglicht aan met een lampje boven de spiegel om make-up aan te brengen of te scheren. Variabele verlichting zorgt 's avonds voor meer sfeer in de badkamer. Om 's avonds getemperd licht te hebben breng je bovenverlichting aan die onafhankelijk van het spiegellampje te bedienen is; voorzie alle lichtpunten van een dimschakelaar waarmee je de hoeveelheid licht kunt doseren.

Superluxe badkamer

Deel je badkamer en geniet van elkaars gezelschap.
Maak van je badkamer een stijlvolle ruimte die een
gevoel van zowel saamhorigheid als privacy geeft.

Als je de badkamer deelt met je partner maar smacht naar
het comfort van een privédomein, kun je het oude
hem/haar-principe op een nieuwe, luxe manier toepassen.
Creëer voor beiden een ruimte op maat, met niet alleen
een eigen wastafel maar ook een eigen toilettafel, eigen
kastjes en een eigen kleedruimte. Zorg dat ieder zijn eigen
spulletjes op was- of toilettafel kwijt kan en leg gezamenlijke attributen op een plek waar iedereen erbij kan. Zoals
in elke ruimte is ook hier een uniforme stijl essentieel om
een visuele eenheid te creëren. Laat je door de overige
ruimtes in je huis inspireren om je badkamer net zo stijlvol
in te richten. Met een comfortabel zitje en mooie materialen als een hardhouten vloer en decoratieve lambrisering
krijgt de badkamer een verrassende allure.

In deze gezinsbadkamer is elke centimeter ruimte uitgebuit. Een praktische inrichting biedt plaats aan ieders toiletartikelen, handdoeken en badspeeltjes.

■ EEN DUBBELZIJDIGE KAST verdeelt de ruimte voor de nodige privacy en biedt bergruimte die van beide kanten toegankelijk is. Aan de kant van de wastafel heeft de kast ondiepe planken voor toiletartikelen; er zijn diepere planken voor handdoeken tegenover de badkuip.

■ PLASTIC EMMERS vormen een praktische en aantrekkelijke bergplaats voor alles wat kinderen in bad gebruiken. Een krukje fungeert als opstapje voor de allerkleinsten en als zitje voor de ouder die het kind wast.

■ EEN INGEBOUWDE VERZAMELPLAATS voor de vuile was houdt de ruimte op orde en het wasgoed uit het zicht.

■ HAKEN VOORZIEN VAN NAAMBORDJES zorgen ervoor dat iedereen zijn eigen handdoek gebruikt.

EEN BADKAMER VOOR HET HELE GEZIN

De familiebadkamer

Met een zorgvuldige planning, bijzondere meubels en veel bergruimte wordt het delen van de badkamer een genoegen.

Een gemeenschappelijke badkamer vereist een goede planning om aan de eisen van een heel gezin te voldoen. Een praktische aanpak is hier het sleutelwoord. Een uitstekend idee om bergruimte te creëren is een kast die tegelijkertijd fungeert als scheidingswand. Met schappen die aan beide kanten bereikbaar zijn vergroot je de bergruimte. Ieder gezinslid kan dan gemakkelijk bij zijn of haar toiletartikelen en er blijft genoeg ruimte over voor gemeenschappelijke badspullen. Als de badkamer ook door jonge kinderen wordt gebruikt, moet het niet te ingewikkeld zijn. Grote manden of bakken en handdoekhaken met naamplaatjes maken kleuters duidelijk waar alles hoort. Lege muren, vooral boven het toilet bieden ruimte aan schappen voor extra bergruimte, net als de overloop buiten de badkamer, waar misschien ruimte is voor een extra kastje.

HET GEHEIM VAN DEZE RUIMTE

Een badkamer die berekend is op wat logees nodig kunnen hebben, geeft hun het gevoel dat ze welkom zijn. De schrootjes op de muur en de ouderwetse kranen en accessoires zorgen voor een antieke uitstraling.

■ **EEN IDEALE LOGEERRUIMTE** is een kamer met aparte badgelegenheid omdat gasten daar al hun eigen spullen in kwijt kunnen.

■ **ATTENTIES IN DE STIJL VAN EEN COMFORTABEL HOTEL** zoals luxe toiletartikelen en een frisgewassen badjas maken zelfs de eenvoudigste kamer uitnodigend.

■ **MOOIE FLESJES** met douchegel, shampoo en crèmespoeling, en nieuwe handgevormde stukjes zeep getuigen van zorg en aandacht.

■ **MET EEN STAPELTJE HANDDOEKEN**, een nieuw paar badslippers en enkele verse boeketjes voelen gasten zich verwend.

■ **EEN NATUREL KLEURENSCHEMA** vormt een rustgevende achtergrond waartegen accenten extra afsteken en schept de mogelijkheid om de kamer elk seizoen een net iets ander karakter te geven.

EEN BADKAMER VOOR HET HELE GEZIN

Voor logés

Een badkamer met kleine attenties en zorgzame details voor logerende vrienden en bekenden laat op een onopvallende manier merken dat ze welkom zijn.

Je huis delen met vrienden is iets waar je met een goede planning zorgeloos van kunt genieten. Aandacht voor detail in een logeerbadkamer geeft zelfs een kleine ruimte allure. Breng voorzieningen aan die je ook in een goed hotel aantreft – verfijnde toiletartikelen als geurige zeep, shampoo en badschuim, en een stapel zachte, rulle handdoeken. Anticipeer op de behoeften van de gast door extra bagage als een föhn en een dikke, behaaglijke badjas overbodig te maken. Leg alles duidelijk zichtbaar neer zodat de logés niet hoeven te zoeken. Realiseer je dat gasten ruimte nodig hebben om hun eigen spullen uit te pakken, dus maak plaats in het medicijnkastje en op toilettafels of planken. Vrolijk de ruimte ten slotte op met een boeketje bloemen of een plantje.

VERWEN JE GASTEN MET BEWIJZEN VAN AANDACHT EN SIMPELE, MAAR HEERLIJK LUXE ATTENTIES.

Mooie potjes en flesjes, *links*, een paar met zorg uitgekozen toiletartikelen en een verse orchidee vormen het soort attenties dat je in een chic hotel aantreft. Je hoeft helemaal niet luxe uit te pakken om je gasten het gevoel te geven dat ze worden verwend.

Een glazen taartstolp, *boven*, herbergt verleidelijke flesjes met lotion, zeep en lekkere geurtjes. Toiletartikelen op een dergelijke creatieve manier neergezet geeft logees de mogelijkheid om nieuwe producten uit te proberen, die je later mee kunt geven als cadeautje.

Gardenia's, *rechtsboven*, in een houten doosje verspreiden hun zoete geur in de badkamer; gasten kunnen bloemen in hun badwater strooien om te ontspannen. Verse bloemen vormen een van de attenties die door logees het meest op prijs worden gesteld.

Toiletartikelen voor mannelijke gasten, *rechts*, zijn neergezet op luxe tinnen dienbladen. Dienbladen vormen een handige manier om benodigdheden voor gasten op te zetten, omdat alles tegelijk kan worden verplaatst of opgeborgen.

Er zijn maar heel weinig mensen die elke dag een kuuroord kunnen bezoeken, maar in de eigen badkamer kom je een heel eind. Vroeger betekende een bezoek aan een kuuroord 'baden' en water is nog steeds het belangrijkste element van een verblijf in een kuuroord, van minerale baden tot verkwikkende douches. Thuis kun je met luxe sanitair zoals een ligbad waarin je tot aan je kin ondergedompeld in het water kunt liggen de ervaring van een kuuroord nabootsen. De meeste behandelingen in een kuuroord ein-

VERKWIKKING
VOOR LICHAAM EN GEEST

KUUROORDEN ZIJN EROP GERICHT ZOWEL LICHAAM ALS GEEST TE VERKWIKKEN. MAAK VAN JE HUIS EEN KUUROORD MET EEN BADKAMER DIE EEN WELDAAD IS VOOR DE ZINTUIGEN.

digen met een rustperiode, dus een gemakkelijke stoel of een chaise longue is een verrukkelijke aanwinst voor je eigen badkamer. Als je weinig ruimte hebt, kun je ook een eenvoudig saunabankje neerzetten met een heleboel kussens. Het belangrijkste is dat je de omgeving zo rustig en aangenaam mogelijk maakt voor de zintuigen. Streef naar een heldere ruimte en een interieur dat de rust bevordert. Laat zo veel mogelijk zonlicht binnen en zorg voor een vrij uitzicht naar buiten. Kies rustige kleuren, geïnspireerd op water of de natuur. Geniet van aromatherapie met badkruiden, verse bloemen of kaarsen en zorg voor voldoende zachte handdoeken. Verwen jezelf met verzachtende lotions en andere verzorgende toiletartikelen.

Een kuuroord

Gun jezelf de ultieme badervaring. Een diep ligbad in je badkamer verandert die in een privékuuroord.

In Japan is baden niet zomaar reinigen, maar een eeu-
wenoud ritueel, bedoeld om lichaam en geest te verkwikken. Een Japans zweetbad of *ofuro* wordt met water
van 50 °C gevuld om het schoongewassen lichaam op te
warmen; het eigenlijke wassen gebeurt apart, voordat je
de *ofuro* ingaat. Als het lichaam is opgewarmd, wordt het
in lakens gewikkeld en begint het ontspannende zwe-
ten. Veel mensen brengen elke avond minstens een half-
uur in de *ofuro* door om de voorbije dag te overdenken.

Gelukkig hoef je niet naar Japan om te ontspannen. Ligbaden zijn op grote schaal verkrijgbaar (zie pagina's 237
en 361). Op maat gemaakte baden kunnen in elk formaat
worden uitgevoerd, meestal van cederhout, roodhout of
teak. Standaardmodellen, zowel vrijstaande als ingebouwde baden, zijn er in acryl, fiberglas, metaal en hout.

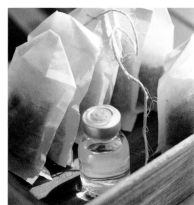

HET GEHEIM VAN DEZE RUIMTE

Dit rustgevende thuiskuuroord met
een traditioneel Japans zweetbad is
even esthetisch verantwoord als
comfortabel.

■ EEN JAPANS BAD VAN CEDERHOUT gevuld met dampend warm water biedt
ruimte aan meerdere personen. De verhoogde vloer is kenmerkend voor het Japanse bad en zorgt voor een warme sfeer.

■ KAARSEN EN WIEROOK verspreiden hun
geur in de badkamer. Weldadige badkruiden en oliën voor aromatherapie zijn binnen handbereik en verhogen het comfort.

■ EEN INGEBOUWDE BANK en stapels kussens bieden ruimte om te luieren, te praten of te mediteren. Voor of na het dompelbad is het voortreffelijk rusten in een
comfortabele chaise longue.

■ DE NATUURLIJKE MATERIALEN die in de
hele ruimte zijn gebouwd, zijn praktisch,
aangenaam voor het oog en kunnen tegen
water.

■ ENORME RAMEN halen als het ware de
natuur binnen om de meditatieve sfeer te
verdiepen.

Natuurgevoel

Creëer de rust van een kuuroord in je eigen bad-kamer met eerlijke, strakke vormen en een organisch geheel van kleuren en materialen.

Geef je badkamer de sfeer van een kuuroord door een sobere inrichting en een tijdloze schoonheid. Kies eenvoudig sanitair en eenvoudige kranen en combineer ze met kleuren, materialen en accenten die ontleend zijn aan de natuur om de badkamer de allure van een luxe ontspanningsoord te geven.

Net als bij de meubels in je huis benadrukt een strakke vormgeving het idee van ruimte. Aan de muur gemonteerde wastafels laten de vloer eronder vrij; met een ombouw rond de waterspoeling van het toilet blijft het strakke muurvlak intact; de sierlijke vorm van een vrij-staand bad maakt een minder massieve indruk dan een ingebouwd bad. Combineer dit gestroomlijnde ontwerp met natuurlijke materialen als terracotta of steen en completeer het geheel met frisgroene accenten.

HET GEHEIM VAN DEZE RUIMTE

Deze badkamer in de stad ontleent zijn luxe karakter aan het sobere kuuroord-achtige interieur. De ingetogen aarde-tinten vormen een rustige achtergrond voor het witte sanitair en de frisgroene accenten.

■ **EEN BADKUIP VAN ACRYL** in een opvallende moderne vorm dient als blikvanger van de ruimte.

■ **STRAK VORMGEGEVEN ARMATUREN** en accessoires – wastafels aan de muur, strakke wandkastjes, een uniek vormgegeven toilet – accentueren de rustige esthetiek van deze badkamer.

■ **SALTILLOVLOERTEGELS** voelen prettig aan onder de voet en geven de ruimte een aards karakter en contrasteren prachtig met het stijlvolle sanitair.

■ **GLAZEN MOZAÏEKTEGELTJES** bekleden de wanden en het plafond van de doucheruim-te, die daardoor een glanzend karakter heeft.

■ **POTPLANTEN** gedijen uitstekend in het vochtige badkamermilieu en dragen bij aan het kuuroordkarakter. Geurige bloeiende planten zorgen voor romantisch karakter.

Handdouche, *rechts*

Nostalgie naar badkameraccessoires uit het begin van de twintigste eeuw heeft geleid tot de ontwikkeling van imitaties met moderne gebruiksvriendelijkheid. Deze ouderwetse combinatie bestaat uit een stel badkranen, een handel om de waterstroom om te zetten, een handdouche en een gewone douchekop boven aan een verticale buis.

Kranen op de vloer, *uiterst rechts*

Kranen die op de vloer zijn gemonteerd en midden in het bad uitkomen, bieden de mogelijkheid om aan beide uiteinden van het bad comfortabel naar achteren te leunen. Nu dit type badkuipen steeds populairder wordt, zien we ook steeds meer van zulke kranen.

Regendouche, *rechts*

Deze ronde douchekop – ook bekend als regendouche – simuleert het effect van een stortbui. Hij is in verschillende afmetingen verkrijgbaar en de waterstraal die hij produceert is een verkwikkende manier om de dag te beginnen. Denk er wel aan dat zulke regendouches meer water gebruiken dan de standaard douchekoppen en dat je dus een grotere boiler nodig hebt.

Mengkranen, *uiterst rechts*

Met douchekranen zoals het hier afgebeelde klassieke victoriaanse model kunnen watertemperatuur en watervolume afzonderlijk worden geregeld. Dergelijke kranen zijn ook verkrijgbaar in een moderne vormgeving.

Baden en toebehoren

Bij het kiezen van een ligbad gaat het om twee dingen: het moet passen bij de grootte van je badkamer en bij die van je lichaam. Standaardbaden zijn gewoonlijk 152 centimeter lang en 81 centimeter breed, maar er bestaan ook kortere, langere en diepere modellen in allerlei uitvoeringen.

Hoewel de beschikbare vloeroppervlakte bij de keuze van een bad natuurlijk een rol speelt, zijn ook je voorkeur voor een bepaald type en het stempel dat het bad op de badkamer drukt van belang. Een vrijstaand bad zoals de ouderwetse badkuip op pootjes vraagt meer ruimte maar biedt meer mogelijkheden omdat het overal in de ruimte geplaatst kan worden. Ook een ingebouwd bad is klassiek en er komen steeds meer uitvoeringen in hout, tegels of steen, waardoor het meer gaat lijken op een meubelstuk. Het bijbehorende sanitair (zie hiernaast) moet bij het bad passen, maar mag best een andere stijl hebben. Zie voor meer informatie over ligbaden pagina 361,'Materialen'.

Badkuipen, *met de klok mee, linksboven*: klassieke badkuip met ronde rand, houten ommanteling en marmeren ombouw; vrijstaande badkuip in empirestijl met kranen die op de vloer zijn gemonteerd; whirlpool met gekleurde betonnen ombouw; vrijstaande kopie van ouderwetse badkuip

op pootjes.

ZO DOE JE DAT: HET AANLEGGEN VAN EEN LIGBAD

Een luxe nieuwe badkamertrend die zijn weg gevonden heeft van het kuuroord naar de particuliere badkamer: het dompelbad. Deze baden zijn op zijn minst tien centimeter dieper dan het standaard bad zodat je volledig ondergedompeld kunt ontspannen. Net als andere baden zijn ze in verschillende vormen, maten en materialen verkrijgbaar, van geëmailleerd gietijzer tot acryl, keramiek, koper, vinyl of hout. Het sleutelwoord is diepte. De meeste dompelbaden zijn 51-56 cm diep, tegenover 36-41 cm voor een gewoon bad. In sommige modellen, die de vorm hebben van een Japans zweetbad (zie blz. 232), kun je rechtop in het water zitten omdat ze 86 cm diep zijn. Veel modellen zijn bovendien voorzien van een whirlpoolinstallatie.

Als je erover denkt om een dompelbad te laten installeren moet je met enkele dingen rekening houden:

■ **WATERCAPACITEIT** Voor het vullen van een gemiddeld dompelbad is soms wel 227-284 liter water nodig, tegen ongeveer 159 liter voor een gewoon bad, dus overtuig je ervan dat je boiler voldoende capaciteit heeft om zo veel warm water te produceren.

■ **GEWICHT** Driehonderd liter water weegt ook 300 kilo. De badkuip zelf weegt 57 kilo (acryl) tot 227 kilo (geëmailleerd gietijzer). Ga na of de vloer een dergelijk gewicht kan dragen.

WERKEN

'MIJN WERKPLEK IN HUIS MOET NIET ALLEEN CREATIEF MAAR OOK FUNCTIONEEL ZIJN. IK WIL DAT DIE PLEK EEN BRON VAN NIEUWE IDEEËN IS EN INSPIREERT TOT NIEUWE PROJECTEN.'

WERKKAMER IN HUIS

Vroeger stonden de begrippen 'huis' en 'kantoor' voor volstrekt gescheiden werelden en we deden onze uiterste best om dat zo te houden. Tegenwoordig is het onderscheid veel vager en werken de meesten van ons op zijn minst gedeeltelijk thuis. Maak van je huis een plek waar je kunt werken en van je werkkamer een ruimte waar je je thuis voelt. Een werkruimte die deel uitmaakt van je huis met een interieur dat in harmonie is met de stijl van de rest van het huis heeft alleen maar voordelen. Een goede werkkamer in huis verhoogt de productiviteit, terwijl hij tegelijkertijd het comfort van thuis biedt. In dit hoofdstuk laten we je een paar van onze favoriete ruimtes zien zodat je een idee krijgt van de mogelijkheden om een fantastische werkruimte te creëren.

Het ontwerpen van een werkplek thuis

Denk bij het inrichten van je werkkamer aan het principe van de werkdriehoek in de keuken, die een optimale benutting van de ruimte garandeert. Een L-vormige, U-vormige of pantryachtige inrichting brengt alles binnen handbereik.

In elke werkkamer is het werk beter te organiseren als je twee goede werkplekken hebt: een achter de computer en een waar je papierwerk doet en telefoongesprekken voert. Bedenk ook dat archief, printer/fax/kopieerapparaat en dagelijkse benodigdheden gemakkelijk bereikbaar moeten zijn. Met een compacte L- of U-vormige opstelling kun je op je bureaustoel gemakkelijk van de ene plek naar de andere draaien. Hetzelfde geldt voor een parallelle opstelling, waarbij je tussen twee werkplekken in zit. Bij het bepalen van de inrichting speelt ook mee welke indruk je

de werkkamer op bezoekers wilt laten maken. In een L-vormige werkplek zijn jijzelf en je paperassen bijvoorbeeld zichtbaar voor bezoekers of cliënten, terwijl een parallelle opstelling de mogelijkheid biedt om werk waar je aan bezig bent op te bergen in een kast achter je. Zet alles wat je dagelijks gebruikt (telefoon, pennen etc.) binnen handbereik, niet meer dan 90 centimeter van je stoel. Alles wat je minder vaak gebruikt, kun je beter buiten je directe werkplek zetten, net als archiefmappen.

Maak ruimte voor dingen die je in een goed humeur brengen en inspireren – niet alleen familiefoto's maar ook kunst en versieringen die te maken kunnen hebben met je beroep of hobby. Een 'inspiratiebord' kan je creatieve energie vergroten; hang het vol met ansichtkaarten, knipsels uit tijdschriften en werk dat je bewondert. Zet ook een gemakkelijke stoel neer waarin je papieren kunt doornemen of gewoon even kunt ontspannen en pauzeren.

EEN ORDELIJKE L-VORMIGE WERKHOEK

Deze werkhoek (hierboven en vorige bladzijde) neemt weinig ruimte in en heeft een aantal werkplekken naast elkaar met strakke bergruimte. Deze compacte werkplek past op een overloop of in een soortgelijke kleine ruimte.

■ EEN CONSEQUENT VOLGEHOUDEN STIJL van kantoormeubilair zorgt voor een ordelijk geheel en afzonderlijke ladeblokken bieden veel bergruimte. Het hoekgedeelte van het werkblad biedt plaats voor computerwerk, een ander deel voor papierwerk.

■ EEN MEDEDELINGENBORD vormt een handige bron van informatie met een kalender, belangrijke memo's en inspirerende afbeeldingen.

■ DAGLICHT maakt elke werkhoek prettiger, maar kan ook verblindend werken, dus plaats het beeldscherm zo dat het licht van opzij komt.

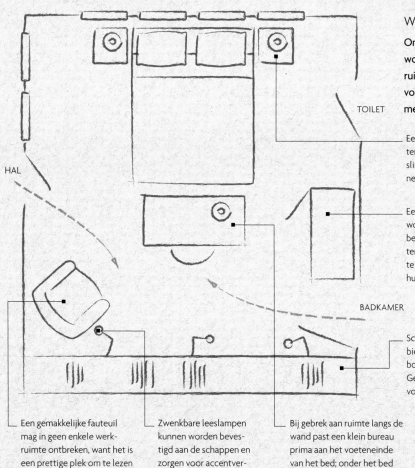

WERKHOEK IN DE LOGEERKAMER

Omdat een logeerkamer maar af en toe wordt gebruikt, is het praktisch om de ruimte te benutten als werkkamer. Zorg voor afgesloten kasten zodat je de kamer in een ommezien kunt opruimen.

TOILET

Een paar mooie houten archiefkasten dienen als nachtkastje – een slim voorbeeld van multifunctionele meubels in deze kamer.

HAL

Een kledingkast of commode kan worden voorzien van speciale opbergsystemen om kantoorattributen en benodigdheden aan het oog te onttrekken. Logés kunnen er ook hun spullen in kwijt.

BADKAMER

Schappen langs de wand bieden volop ruimte voor boeken en archiefmappen. Gebruik dozen en manden voor losse spullen.

Een gemakkelijke fauteuil mag in geen enkele werkruimte ontbreken, want het is een prettige plek om te lezen en stukken door te nemen; bovendien biedt hij zitruimte voor gasten.

Zwenkbare leeslampen kunnen worden bevestigd aan de schappen en zorgen voor accentverlichting en gezelligheid.

Bij gebrek aan ruimte langs de wand past een klein bureau prima aan het voeteneinde van het bed; onder het bed loopt een verlengsnoer voor een bureaulamp.

EEN SPECIFIEKE WERKKAMER

Een extra slaapkamer leent zich uitstekend voor een werkkamer waarin een kastenwand de voornaamste bergruimte vormt. Koop bij een meubelzaak een bureau en comfortabele stoelen in plaats van speciale kantoormeubelen, zodat de inrichting beter overeenstemt met die van de rest van het huis.

Kies voor een reeks stellingkasten die niet dieper zijn dan 45 cm, en daardoor gemakkelijk in een standaardkast passen.

Onder een extra werktafel bevinden zich schappen waar archiefmappen, paperassen en andere zaken voor dagelijks gebruik binnen handbereik zijn opgeborgen.

ENTREE

Comfortabele stoelen voor cliënten mogen niet ontbreken. Bovendien kun je zo even pauzeren.

COMFORT OP DE WERKPLEK

Je bent productiever als je werkomstandigheden goed zijn en dat hangt af van allerlei factoren, van de hoogte van je computer tot voldoende licht (de verlichting voor bureauwerk wordt besproken op blz. 351). Gebruik onderstaand lijstje om je werk zo aangenaam mogelijk te maken.

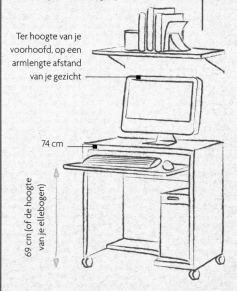

Ter hoogte van je voorhoofd, op een armlengte afstand van je gezicht

74 cm

69 cm (of de hoogte van je ellebogen)

Computerscherm
De monitor moet recht voor je staan, het scherm op een armlengte afstand en de bovenkant ervan niet hoger dan je voorhoofd.

Toetsenbord
Hoewel de normale hoogte van een bureau 74 cm is, vinden de meeste mensen het prettiger als hun handen zich bij het tikken op ongeveer 69 cm hoogte bevinden. Om te bepalen wat voor jou de beste hoogte is, ga je op een bureaustoel zitten met je armen gebogen langs je lichaam. Het toetsenbord moet zich ter hoogte van je ellebogen bevinden.

Bureau
Voor het meeste bureauwerk is een ruimte van minimaal 76 cm in het vierkant nodig, groot genoeg voor een computerscherm, een telefoon en A-viertjes. Laat minstens 90 cm ruimte vrij achter het bureau voor een stoel.

Werktafel
Een kleine werktafel op wieltjes en een hoogte van ongeveer 66 cm is erg handig voor archiefmappen en zaken die je overdag nodig hebt. Of zet op deze tafel je computer neer, zodat op het bureau meer plaats overblijft.

Als je besloten hebt om een gedeelte van je huis als werkruimte in te richten, moet je aan de slag. Liever gezegd, je moet ervoor zorgen dat de werkplek jou inspireert. Hoe ziet een ideale werkruimte eruit? Er zijn natuurlijk enkele basisprincipes die voor bijna elke ruimte gelden, zoals een praktisch gebruik van de ruimte, goede verlichting en voldoende bergruimte. Maar hoe maak je een werkkamer zowel inspirerend als functioneel? Ga allereerst op zoek naar een geschikte ruimte in je huis; dat kan de zolder zijn

IDEEËN VOOR EEN
THUISWERKPLEK

GA VOOR HET INRICHTEN VAN EEN IDEALE WERKRUIMTE AF OP JE INTUÏTIE. GA OP ZOEK NAAR KLEUREN, MEUBELS EN EEN RUIMTE DIE JE LEUK VINDT EN GEBRUIK DIE ALS LEIDRAAD VOOR DE INRICHTING.

maar ook een deel van de keuken. Zorg vervolgens voor een efficiënte inrichting met comfortabele meubels. Wil je traditioneel meubilair of juist creatieve alternatieven: een klassiek bureau of een houten blad dat steunt op archiefkastjes? Ga na welke kleuren je mooi vindt, hoeveel licht je wilt hebben en welke kleine extra's je een gevoel van luxe geven en gebruik die gegevens als leidraad. Opbergruimte is heel belangrijk, want een van de voorwaarden voor een verzorgd uitziende werkkamer is dat hij opgeruimd is. Maar vergeet niet dat je thuis bent: denk verder dan de archiefkast en zoek naar verrassende of grappige alternatieven voor standaard kantoormeubelen.

HET GEHEIM VAN DEZE RUIMTE

Dit heldere, ordelijke kantoor van twee architecten was ooit een schemerige, stoffige zolder. Om te beginnen werden het plafond en de muren gewit.

■ **DRIE TAFELS** in het midden van de werkruimte bieden een werkplek voor twee personen plus een groot oppervlak om plannen te presenteren die van alle kanten te bekijken zijn.

■ **EEN CENTRALE TRAP** verdeelt de ruimte in een werkgedeelte en een magazijngedeelte.

■ **EEN BOVENLICHT** zorgt voor daglicht in deze ruimte, die weinig ramen heeft.

■ **INDIRECTE VERLICHTING** gaat schuil achter houten regels en de zichtbare daksparren creëren een gevoel van ruimte.

■ **HET PLEXIGLAS OP DE TAFELS** rekent af met de op de loer liggende wanorde van opgehangen werk en inspirerende foto's.

IDEEËN VOOR EEN THUISWERKPLEK

Werkkamer op zolder

Voor kantoorruimte in huis is een zolderkamer een toplocatie. Creëer een transparante werkruimte hoog boven de drukte in huis.

Een weinig gebruikte zolder kan onvermoede mogelijkheden bieden als werkkamer. Op zolders is vaak veel ruimte die nuttig gebruikt kan worden en ze geven het romantische gevoel van een bijzondere schuilplaats.

Als er nog nooit iets aan de zolder is gedaan, moet er een aantal dingen gebeuren voordat hij geschikt is als werkkamer. Kijk of het plafond hoog genoeg en de vloer voldoende stevig is en of er aan de dagelijkse behoefte aan elektriciteit kan worden voldaan. Overleg met een erkende vakman over isolatie en ventilatie, omdat de temperatuur op zolder van invloed kan zijn op je comfort en op het naar behoren functioneren van je apparatuur.

Als aan die basisvoorwaarden is voldaan, bedenk dan dat in een kleine ruimte overdaad schaadt. Door zo veel mogelijk licht toe te laten (dakramen zijn ideaal) en rustige kleuren te gebruiken wordt de helderheid vergroot. Ook lichte, transparante meubels die onder het schuine dak passen, geven een strakke, gestroomlijnde indruk.

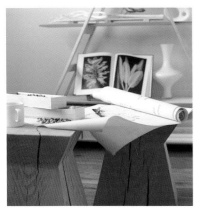

Je eigen stempel

Elke ruimte is gebaat bij een creatieve manier van inrichten. Een werkruimte in huis wordt bijzonder als hij de aard van je werk weerspiegelt.

Creativiteit vormt de basis voor een unieke stijl. Ook met een beperkt budget zijn er mogelijkheden genoeg om elke ruimte een bijzonder, uniek karakter te geven als je bij de inrichting creatief te werk gaat.

Kantoormeubilair kan worden samengesteld uit eenvoudige basisonderdelen. Kant-en-klaar gekochte aanbouwelementen bieden eindeloos veel mogelijkheden, maar je kunt ook je eigen fantasie laten werken: maak een bureau van een houten blad op schragen of archiefkasten, construeer een boekenkast van planken en voorraadboxen of van planken en een houten trapje. Zoek inspiratie in het werk dat je doet. Gebruik voorwerpen die met je werk te maken hebben als decoratie en maak van de nood een deugd door de gereedschappen die je gebruikt en de resultaten van je werk zichtbaar op te bergen.

HET GEHEIM VAN DEZE RUIMTE

Dit kantoor van een tuinarchitect heeft door het frisse kleurenschema, de originele meubelen en de met het werk verband houdende decoraties wel iets van een tuin.

■ HET BUREAU, dat bestaat uit een houten blad op schragen, past in de natuurlijke omgeving en is een goedkope manier om een groot werkblad te verkrijgen.

■ EENVOUDIGE HOUTEN STELLAGES MET PLANKEN zijn stevig en niet duur.

■ DE ZACHTE, LICHTE KLEUR OP DE MUREN vormen een ideale achtergrond voor planten en botanische prenten.

■ OPDRACHTEN VOOR KLANTEN en boeken zorgen voor een aangename werksfeer.

■ DE BLOKVORMIGE HOUTEN ZITELEMENTEN lijken op boomstronken en roepen een buitengevoel op.

■ FAUTEUILS ZONDER ARMLEUNINGEN zijn eenvoudig zo neer te zetten dat er een comfortabele vergaderhoek ontstaat.

■ LOUVREDEURTJES VOOR DE RAMEN houden te fel zonlicht tegen en zorgen voor privacy, maar laten wel voldoende daglicht binnen.

Ontmoetingsruimte

Een goed ontwerp leidt tot een ruimte die geschikt is voor alle gebruikers. Een verzorgde werkkamer is zowel voor jezelf als voor je cliënten plezierig.

Cliënten en medewerkers in je kantoor uitnodigen is een van de plezierige kanten van het thuiswerken. Je kunt gasten in je eigen kantoor ontvangen op een manier die onmogelijk is in een zakelijke omgeving. Geef je kamer een professionele uitstraling door het comfort van thuiswerken te combineren met een zakelijke allure. Dat betekent niet dat standaard kantoormeubilair een vereiste is. Alle meubels die strak maar comfortabel zijn, kunnen een werksfeer uitstralen. Kies vloerkleden, lage tafels, staande lampen en accessoires die een gezellige sfeer creëren. Geef je kamer kleur, warmte en een eigen karakter met persoonlijke accenten. Een prikbord met foto's en knipsels of een favoriete verzameling in de boekenkast geeft bezoekers een inkijkje in je persoonlijke leven.

HET GEHEIM VAN DEZE RUIMTE

Deze lichte zolderkamer heeft een professionele uitstraling, hoewel hij niet is ingericht met echt kantoormeubilair. Een combinatie van goedgekozen meubels creëert een zakelijk maar ook huiselijk interieur.

■ EEN COMBINATIE VAN VERSCHILLENDE SOORTEN MEUBELS geeft een persoonlijker resultaat dan een reeks bij elkaar passende kantoormeubels; hier is een moderne stoel gecombineerd met lampen uit de jaren vijftig en een opnieuw beklede ouderwetse tweezitsbank.

■ HET VERRIJDBARE BUREAU is een eikenhouten bibliotheektafel op wieltjes. Het staat bij het raam, zodat de gebruiker kan profiteren van het daglicht, maar het kan ook naar de muur worden verreden als er ruimte nodig is.

■ EEN HOOG SCHAP tussen de twee schuine steunberen houdt platte archiefdozen uit het zicht van bezoekers.

■ DE TAFEL MET EEN SCHOOLBORD ALS BOVENBLAD vormt een grappig en praktisch accent; bellers kunnen al telefonerend nummers en boodschappen noteren.

■ HET SOBERE KLEURENPALET van witte muren met bruine en zwarte meubels creëert een aangenaam en heel persoonlijk effect.

Aangezien we een groot deel van ons leven aan het werk zijn, is het de moeite en de tijd waard om een werkruimte te creëren die zowel mooi als functioneel is. En omdat de werkkamer deel uitmaakt van je huis, is er alle reden om hem net zo uitnodigend en praktisch in te richten als de zitkamer of de slaapkamer. Ga bij de inrichting van je werkkamer af op de andere ruimtes om kleur en stijl te bepalen. Vooral als je werkkamer geïntegreerd is in de rest van het huis, moet hij passen bij de aangrenzende kamers,

THUISWERKEN
IN STIJL

EEN WERKRUIMTE IN HUIS IS HET MEEST GESLAAGD ALS HIJ IETS VAN JE PERSOONLIJKHEID TOONT. CREËER EEN OMGEVING DIE JE INSPIREERT EN TOT TOPPRESTATIES STIMULEERT.

dus stem de inrichting qua kleuren, meubels en accessoires af op die van de andere kamers. Dat is des te belangrijker als je werkplek deel uitmaakt van een grote ruimte die ook voor andere activiteiten wordt gebruikt. Als je zo gelukkig bent dat je een aparte ruimte hebt, kun je die best wat luxueus inrichten. Tenslotte is het je privédomein, dus investeer in degelijke meubels en een mooie afwerking en trakteer jezelf op een exclusieve bureaulamp of een mooi ornament waar je graag naar kijkt. Ga ook creatief te werk bij de decoratie van je kamer. Je mag best meer van jezelf laten zien dan de standaard familiefoto, dus maak ruimte voor kunstvoorwerpen en persoonlijke verzamelingen.

Orde op zaken

Om een open werkruimte stijlvol te houden is de nodige zin voor orde en netheid vereist. Berg werk waar je mee bezig bent op in handige muurkasten.

Orde draagt bij aan een rustige sfeer en dat is extra belangrijk als je werkruimte thuis door de overige gezinsleden ook voor andere bezigheden wordt gebruikt. Houd rekening met dat meervoudige gebruik, zodat er een harmonieuze ruimte ontstaat waarin alle functies van een werkkamer gecombineerd kunnen worden.

Een van de beste manieren om te voorkomen dat je werkkamer een rommeltje wordt, is handig gebruikmaken van de muren. De beste oplossing om de boel opgeruimd te houden zijn aparte kastjes en boekenplanken. Schappen kunnen in elk gewenst formaat worden aangebracht en je kunt er zowel handboeken en dozen met paperassen als dierbare voorwerpen en verzamelingen op kwijt. In gesloten kastjes of bakken met deksels kunnen losse spullen worden opgeborgen die een werkruimte rommelig maken. Als je de schappen of vakken in dezelfde kleur verft als de wanden, vallen ze minder op en vormen ze één geheel met de muur.

HET GEHEIM VAN DEZE RUIMTE

Met het ruim bemeten bureaublad en de kubussen aan de wand fungeert dit kantoor tegelijk als werkkamer voor het hele gezin. De symmetrische boekenplanken en de opvallende kubusvormige muurkasten zorgen voor orde in deze kamer.

■ **AAN DE MUUR HANGENDE ARCHIEFKASTEN** zorgen voor bergruimte en vormen tegelijkertijd een artistieke decoratie.

■ **INGEBOUWDE BOEKENPLANKEN** bieden plaats aan zowel vakliteratuur als leesboeken voor de overige gezinsleden, in overeenstemming met de dubbelfunctie van deze ruimte.

■ **DOOR DE BOVENSTE PLANK** leeg te houden ontstaat een gevoel van ruimte, dat zou ontbreken als er allerlei snuisterijen op stonden.

■ **DOOR HET WITTE KLEURENSCHEMA** lijkt de ruimte groter. Het witte werkblad en de witte kubussen lijken weg te vallen tegen de wand.

■ **EEN MODERNE BANK** zorgt voor een levendig kleuraccent. De gestroomlijnde vorm ervan past uitstekend bij het open en ordelijke karakter van de ruimte.

HET GEHEIM VAN DEZE RUIMTE

Een ruime overloop fungeert als knusse werkplek van waaruit je een prachtig uitzicht naar buiten hebt. Verschuifbare boekenkasten zorgen voor een opgeruimd en open karakter.

■ **EEN L-VORMIG BUREAU** past perfect in de hoek van de leuning. Door het glazen blad en de ranke vorm blijft het transparante karakter van de ruimte behouden.

■ **EEN VERSCHUIFBARE BOEKENKAST** vormt de afscheiding tussen werkruimte en slaapkamer en kan worden dichtgetrokken voor de gewenste privacy.

■ **IN DE PLANKEN** is een aantal magnetische wandborden aangebracht, een handige plaats voor notities en memo's in deze ruimte zonder muren.

■ **EEN BEHAAGLIJKE BANK** vormt een comfortabele plek om te lezen of te praten – maar ook voor een middagdutje.

THUISWERKEN IN STIJL

Een werkplatform

In een open ruimte is het heel belangrijk dat je bij de inrichting zorgt voor harmonie tussen je werkruimte en de rest van het huis.

Misschien heb je geen extra kamer die je als werkplek kunt inrichten, maar dat wil niet zeggen dat er geen ruimte is. Ga op zoek naar een gedeelte in huis waar ten minste een stuk muur is waar een boekenkast kan staan en voldoende vloeroppervlak voor een bureau en een stoel, en richt daar je werkplek in. Een ruime overloop, grote hal, alkoof, portaal of erker kan met wat passen en meten een prima kantoor vormen.

Het belangrijkste is in dit geval zorgen voor harmonie. Kies meubels in de stijl van de omringende of aangrenzende kamers om de onderlinge samenhang te bewaren. Voor een open werkplek kun je het best meubels nemen die een transparante indruk maken. Vermijd zwaar kantoormeubilair en koop liever een bureau en tafeltjes met een glazen blad en slanke poten. Probeer ervoor te zorgen dat je niet gestoord wordt tijdens kantooruren. Creatieve oplossingen zoals een schuifdeur, gordijnen of een kamerscherm kunnen de ruimte zo nodig afscheiden zonder een opgesloten gevoel te veroorzaken.

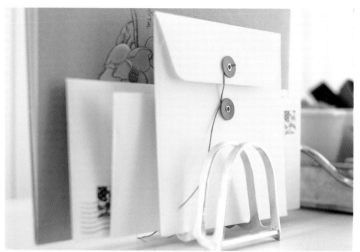

MAAK JE WERKKAMER PERSOONLIJK MET ANTIEKE ACCESSOIRES EN DIERBARE VOORWERPEN EN BRENG TEGELIJKERTIJD ORDE IN JE PAPIEREN.

Antieke postvakjes uit een hotel, *linksboven*, aan de muur hebben een tweede leven gekregen als bewaarplaats voor paperassen.

Een metalen letter 'U', *linksonder*, die ooit boven een winkel hing, is nu een magnetisch memobord. Een combinatie van magnetische clips, magneten in de vorm van punaises en kleine ronde magneten zorgt ervoor dat visitekaartjes, briefjes en knipsels gemakkelijk te vinden zijn als je ze nodig hebt.

Een vergulde schilderijlijst, *links*, voorzien van glas, fungeert als mededelingenbord voor briefjes en foto's. Met een viltstift kunnen boodschappen op het glas worden geschreven.

Brievenstandaards, *boven*, kun je kanten-klaar kopen, maar ook leuk zelf maken. Bijvoorbeeld door tussen twee U-bouten een springveer te spannen (boven) of een oud toastrekje om te toveren tot een standaard voor grote enveloppen (onder).

Soms is dubbel gebruik van een kamer de enige manier om ruimte te vinden voor een werkplek thuis. Keukens, slaapkamers, logeerkamers en zitkamers kunnen op zijn minst als deeltijdwerkruimte fungeren zonder afbreuk te doen aan de oorspronkelijke functie of sfeer ervan. Ga bij het beoordelen van mogelijke werkplekken na wat de voornaamste functie van de ruimte is. Als een kamer overdag meestal niet wordt gebruikt, kun je misschien een muur ervan benutten als werkplek. Laat je beslissing ook

WERKEN
IN EEN GEDEELDE RUIMTE

ELKE RUIMTE BIEDT WEER ANDERE VOORDELEN ALS WERKKAMER, MAAR MET EEN ZORGVULDIGE INRICHTING ZIJN WONEN EN WERKEN BIJNA OVERAL UITSTEKEND TE COMBINEREN.

afhangen van het type en de hoeveelheid werk. Een keuken is geschikt voor eenvoudige karweitjes zoals rekeningen en giro's uitschrijven en schema's maken; een slaapkamer leent zich goed voor lezen en schrijven maar minder voor kantoorspullen of stapels paperassen. Een zitkamer of weinig gebruikte logeerkamer waar je een grotere werkplek kunt creëren werkt meestal het best als je voltijds thuis wilt werken. Maar voor elke ruimte geldt dat je werkplek zo moet worden ingericht dat hij comfortabel en leefbaar blijft; zoek naar meubels, verlichting en accenten die bij de rest van de ruimte passen en de gezellige sfeer niet verstoren.

HET GEHEIM VAN DEZE RUIMTE

In een volledig witte woonkamer is een ruime werkhoek gecreëerd achter een grote bank. Materialen en kleurenschema zijn in de hele ruimte hetzelfde, zodat de werkhoek een natuurlijke voortzetting van de zitkamer vormt.

■ **EEN INGEBOUWDE BANK** doet dienst als halve muur en afscheiding. Het ruimtebesparende ontwerp omvat een smal werkblad aan de achterkant van de bank.

■ **KANTOORSPULLEN** worden uit het zicht opgeborgen onder de bank; open planken bieden extra ruimte.

■ **AAN DE WAND GEMONTEERDE HALOGEENLAMPJES**

WERKEN IN EEN GEDEELDE RUIMTE

Een woon-/werkkamer

In de grote woonkamers van tegenwoordig is ruimte voor een werkhoek, terwijl er ook plaats overblijft om te spelen en te ontspannen.

Veel huizen bieden een extra kamer of een grote woonkamer. Dat zijn ideale plaatsen voor een thuiswerkhoek, omdat ze overdag als de kinderen naar school zijn of buiten spelen meestal niet in gebruik zijn.

Om te voorkomen dat de tijd die je in familieverband doorbrengt niet ten koste gaat van het werk — en andersom — moet je de werkplek enigszins afgrenzen. Daaraan kan zowel de opstelling van de meubels als de verlichting bijdragen. Zet een groot meubel zoals een bank, boekenkast of audiomeubel als 'muur' achter je om de werkplek af te bakenen. In een woonkamer wil je waarschijnlijk geen hermetische afsluiting, maar een subtielere markering van de werkhoek. Ook met behulp van verlichting kun je de grens tussen werk- en zitruimte aangeven. Spotjes, wandlampen en een lamp aan het plafond of op het bureau die op de werkhoek is gericht, geven de mogelijkheid om het werk 'uit te schakelen' als het tijd is om je met familie en vrienden bezig te houden. Zoals voor elke gedeelde ruimte geldt ook hier dat een samenhangende stijl in beide gedeelten nodig is om het geheel aantrekkelijk te houden.

Een slaap-/werkkamer

Werken in een slaapkamer kan prettig zijn als de werkhoek onopvallend ingepast kan worden in de ruimte.

Het is een uitdaging om een werkruimte te creëren in een slaapkamer, maar met een zorgvuldige meubilairkeuze vallen slapen en werken goed te combineren. Een zorgvuldige planning van een slaap-/werkkamer betekent dat je niet door werk wordt gestoord als het tijd is om te slapen en dat het bed niet lokt als er gewerkt moet worden.

Ongeacht de stijl waarin je slaapkamer is ingericht vind je gegarandeerd iets naar je smaak in de grote verscheidenheid aan werkbladen en opbergmeubels. Misschien zie je tussen gangbare meubels een geschikte eettafel die als werktafel kan dienen en gestoffeerde stoelen om als bureaustoel te fungeren.

Er zijn nog andere manieren om een gecombineerde slaap-/werkkamer in te richten. Door multifunctionele meubels te kiezen – en bijvoorbeeld een klein bureau als nachtkastje of toilettafel te gebruiken – blijft de kamer rustig. Ook met decoratieve kasten waarin de benodigdheden voor het werk kunnen worden opgeborgen, blijft de rustige sfeer behouden.

HET GEHEIM VAN DEZE RUIMTE

In de uitspringende erker van deze slaapkamer past een complete werkhoek. De architectuur vormt een subtiele afbakening van de werkruimte en het meubilair is volledig in stijl met de sfeer van de slaapkamer.

■ **HUISELIJKE ACCESSOIRES OP HET BUREAU** – een tafellamp en een gestoffeerde stoel op wieltjes – passen goed in een slaapkamerinterieur.

■ **EEN GROTE EETTAFEL** staat mooi in de grote erker, draagt bij aan de huiskamerstijl en schept een rustige, sobere sfeer.

■ **EEN HOUTEN BANK** die van beide zijden toegankelijk is fungeert als bescheiden grens tussen werkplek en slaapgedeelte.

■ **STAPELS BOEKEN** met daarbovenop een steen vormen originele decoratieve elementen. Ze accentueren op een subtiele manier de indeling van de ruimte.

Adds Up to a Championship Game

Feeling No Pressure,
The Illini Strike Again

RELAXEN

'MIJN DROOMHUIS HEEFT OOK PLEKKEN OM HEERLIJK TE ONTSPANNEN. IK WIL DAT ELKE RUIMTE EEN EXCUUS BIEDT OM ER TE BLIJVEN DRALEN EN WEG TE DROMEN, OM VOLLEDIG TOT RUST TE KOMEN.'

ONTSPANRUIMTE

Iedereen heeft op zijn tijd rust nodig en door vaste tijdstippen in te plannen om te ontspannen zul je er waarschijnlijk eerder toe komen om ook werkelijk uit te rusten. Zoek naar manieren om overal in huis, binnen en buiten, een plekje te creëren dat zo rustig en uitnodigend is dat je het niet kunt nalaten om er eventjes rustig te gaan zitten.

Vrije tijd betekent voor iedereen iets anders en kan allerlei bezigheden inhouden, zowel individuele als groepsactiviteiten. Maak daarom de tv-ruimte, het terras, je hobbykamer, de hal en de speelkamer van de kinderen even aantrekkelijk als de woon- of slaapkamer. Op de bladzijden hierna laten we zien hoe eenvoudig het is om de ruimten waar je met je gezin ontspant stijlvol en comfortabel in te richten.

Hoe ontwerp je een plek om te ontspannen?

De beste manier om spanning de baas te blijven is bewust tijd nemen om te ontspannen, want als je dat niet in je werkschema opneemt, komt het er niet van. Iets dergelijks geldt ook voor je huis. Creëer ruimtes waar je huisgenoten zich kunnen ontspannen en je zult zien dat ze gebruikt worden.

Voor gemeenschappelijke activiteiten zijn andere voorzieningen nodig dan voor individuele bezigheden, maar beide verdienen aandacht bij het inrichten van je huis. Thuis is de ideale plaats om de talenten en interesses van je kinderen te stimuleren. En een van de voorwaarden daarvoor is ruimte. Plaats inruimen voor hun creatieve bezigheden is een duidelijke manier om het belang ervan te onderstrepen. Ruimte voor je eigen bezigheden is even belangrijk. Zoek een weinig gebruikte ruimte –

of een deel ervan of misschien zelfs een grote bergruimte – waar je bezig kunt zijn met je hobby zonder telkens alles voor de dag te moeten halen, of dat nu quilten is of kalligraferen, scrappen of houtsnijden.

Een speciale televisiekamer is een populaire manier om het hele gezin bijeen te brengen. In moderne huizen wordt een dergelijke kamer vaak al ingebouwd, maar hij kan ook in een bestaand huis worden gerealiseerd. De kelder of een ongebruikte zolder is heel geschikt om televisie te kijken omdat er minder ramen zijn die hinderlijk licht op het scherm werpen. Ook een slaapkamer die weinig gebruikt wordt is ideaal, omdat hij verduisterd kan worden met donkere gordijnen. Speciale audiomeubels vormen een perfecte bergruimte voor cd's, dvd-speler, radio en tv. Op de bladzijde hiernaast hebben we een aantal tips bijeengebracht om optimaal te kunnen genieten van een televisieruimte.

EEN COMPACTE AUDIOVISUELE RUIMTE

Een audiovisuele ruimte (hierboven en vorige bladzijde) bevindt zich op een grote overloop op de tweede verdieping. Er zijn geen ramen om te voorkomen dat er fel licht op het televisiescherm valt.

■ **EEN BANK VAN LOSSE ZITELEMENTEN** biedt plaats aan filmkijkers van alle leeftijden. Een poef op wieltjes dient om de benen op te leggen, als tafeltje of als extra zitplaats.

■ **ZWARTE KASTEN** zijn heel geschikt als omlijsting van een videoscherm. De tv valt er minder in op als hij niet aan is en dat geldt nog sterker voor de geluidsboxen.

■ **VOLDOENDE BERGRUIMTE** is belangrijk voor alle toebehoren van tv, videobanden en muziek. Kies ingebouwde elementen van een formaat dat groot genoeg is om bij elkaar horende spullen overzichtelijk op te bergen.

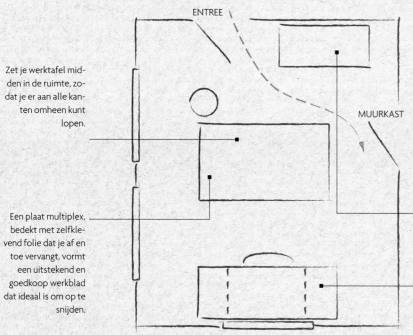

ENTREE

Zet je werktafel midden in de ruimte, zodat je er aan alle kanten omheen kunt lopen.

MUURKAST

Een plaat multiplex, bedekt met zelfklevend folie dat je af en toe vervangt, vormt een uitstekend en goedkoop werkblad dat ideaal is om op te snijden.

NAAI- EN HOBBYKAMER

Voor iedereen die zich met hart en ziel aan een hobby wijdt, kan een eigen atelier of werkruimte in huis een keerpunt betekenen voor zijn creativiteit. Maar zelfs een hobbykamer moet logisch ingericht zijn, dus pas het interieur aan je behoeften aan.

In een hoge kast met planken kun je veel spullen kwijt zonder dat het veel vloeroppervlak kost. Sorteer de verschillende benodigdheden in manden.

Gebruik archiefkasten, ladeblokken en andere bergruimte als ondersteuning voor een bureaublad of werktafel om de beschikbare ruimte optimaal te benutten.

VRIJETIJDSRUIMTE VOOR HET HELE GEZIN

Je boft als je een kamer in huis over hebt, want die kun je inrichten als vrijetijdsruimte. Deze kamer is voor iedereen: van kleuters tot tieners en ouders.

Zelfs een tv met groot scherm past op een televisiemeubel. Een kast ernaast biedt plaats aan de stereo-installatie en andere audiovisuele apparatuur, cd's en dvd's.

Volwassenen kunnen aan de computer werken en tegelijk een oogje houden op spelende kinderen.

REE

MUURKAST

Een muur met schoolbordverf is het einde voor kinderen. De verf kan direct op een droge muur worden aangebracht. Berg krijt en bordenwissers op in bakken.

Een tafel om aan te spelen moet zo laag zijn dat kinderen eraan kunnen zitten maar wel een groot oppervlak hebben. Neem materiaal dat gemakkelijk schoon te maken is.

Gebruik de lage ruimte onder een schuin dak als bergruimte. Voor jongere kinderen zijn open kratten voor het speelgoed erg praktisch; ze kunnen er gemakkelijk bij en alles is in een wip weer opgeruimd.

CHECKLIST VOOR DE AUDIOVISUELE KAMER

Een audiovisuele ruimte kan een complete kamer zijn (luxe variant) of een eenvoudige hoek in de zitkamer.

Plaatsing van de meubels

Ga na hoeveel ruimte er is voordat je een ultragroot scherm gaat kopen. De beeldkwaliteit hangt net zo goed af van de afstand tot het scherm als van de grootte daarvan. Om de juiste afstand tot het scherm te bepalen vermenigvuldig je de breedte van het scherm met 2 tot 2,5 voor hd-televisie en met 4 voor analoge tv. Als je hd-televisiescherm een doorsnede van 76 cm heeft, is de beste afstand dus 1,5-1,9 meter. Voor een scherm van 145 cm breed is de optimale kijkafstand 3-3,5 meter.

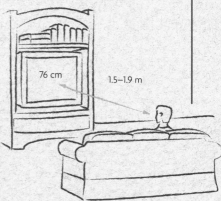

76 cm   1,5–1,9 m

Audiomeubels

In de meeste audiomeubels is plaats voor verschillende schermgroottes, maar meet vooral de breedte en diepte van de kast waarin je de tv wilt zetten.

Boxen

Volg de aanwijzingen van de fabrikant voor de optimale plaatsing van de geluidsboxen. Als vuistregel geldt dat linker en rechter geluidsbox een flink eind uit elkaar en van de zijmuren moeten staan, waarbij je er bovendien voor moet zorgen dat de afstand tussen jou en elke box groter is dan die tussen beide boxen.

Zitplaatsen

Op een bank die uit losse elementen bestaat, kunnen veel mensen comfortabel zitten, maar denk ook eens aan stoelen op wieltjes of andere gemakkelijk te verplaatsen stoelen, voor extra zitgelegenheid.

Isolatie

Juist in een audiovisuele ruimte zijn vloerkleden of een kamerbreed tapijt en gordijnen noodzakelijk omdat harde oppervlakken het geluid vervormen.

De afgelopen dertig jaar hebben er grote ontwikkelingen plaatsgevonden op het gebied van audiovisuele media, en ook de manier waarop we daarmee omgaan is veranderd. Muziek van concertkwaliteit door het hele huis, films naar keuze op een grootbeeldscherm, complete bibliotheken van cd's en dvd's om uit te kiezen al naargelang je stemming – die zaken hebben niet alleen de manier veranderd waarop we onze vrije tijd besteden, maar ook de inrichting van ons huis drastisch beïnvloed. Ongeacht of je een speciale tv-ka-

RUIMTE VOOR AUDIOVISUELE APPARATUUR

DE BESTE AUDIOMEUBELS BIEDEN RUIMTE OM ALLES ORDELIJK OP TE BERGEN ZODAT HET OGENBLIKKELIJK KAN WORDEN TERUGGEVONDEN, EN ZIJN BOVENDIEN MOOI OM TE ZIEN.

mer hebt of een groot audiovisueel meubel in een andere ruimte van het huis, als je die ruimtes in je huis wilt integreren, dien je ze op orde te houden. Gelukkig is er tegenwoordig meubilair dat speciaal ontworpen is om er elektronische apparatuur in onder te brengen, in verschillende stijlen te koop zodat er voor vrijwel elk interieur een oplossing is. De meeste hebben ook ruimte voor accessoires, met vakken voor video en spelcomputer en laden voor de afstandsbediening. Maar het kan ook aardig zijn om een antieke of bijzondere kast te zoeken om apparatuur en toebehoren in op te bergen. Met de mogelijkheden van tegenwoordig is het heel eenvoudig om audiovisuele apparatuur smaakvol en praktisch een plekje te geven.

Vanzelf opruimen

In een kamer die bedoeld is voor amusement houdt een logische indeling alles op zijn plaats, waardoor het geen rommel wordt.

Tegenwoordig verschijnt er steeds meer audiovisuele apparatuur in huis, maar de ruimte om die te plaatsen wordt er niet groter op. De beste manier om de ruimte optimaal te benutten en de boel op orde te houden is kastruimte op maat. Zoals in elke kamer geldt ook hier: laat duidelijk zien waar alles ligt en houd het eenvoudig. Als je alles zijn eigen plaats geeft, is opruimen kinderspel. Laat veelgebruikte spullen in het zicht en onder handbereik en berg de rest op achter gesloten deuren – de favoriete dvd's van de kinderen in een bak naast de dvd-speler bijvoorbeeld en de overige in een kast. Pas de hoogte van de planken aan om duidelijk aan te geven wat waar hoort, zodat alles zonder moeite teruggelegd kan worden waar het hoort.

HET GEHEIM VAN DEZE RUIMTE

Een praktisch opbergsysteem schept orde, zodat iedereen precies weet waar alles hoort te liggen.

■ VERSTELBARE SCHAPPEN veranderen een muurkast in een opbergruimte voor elektronische accessoires, platen, banden en fotoalbums. De hoogte van de planken is aangepast aan de specifieke voorwerpen en de tussenruimte is zo klein mogelijk gehouden om de ruimte optimaal te kunnen benutten.

■ IDENTIEKE ALBUMS voor familiefoto's, brieven en knipsels maken een ordelijke indruk omdat ze qua kleur en grootte overeenkomen.

■ IN BAKKEN VAN DOORZICHTIG PLASTIC zijn je favoriete cd's van het moment altijd direct bij de hand, zodat je niet de hele collectie hoeft te doorzoeken.

■ OP OPEN PLANKEN staan de attributen die vaak worden gebruikt en die op een aantrekkelijke manier kunnen worden opgeborgen.

■ EEN BAKJE VOOR AFSTANDSBEDIENINGEN dat duidelijk in het zicht staat, biedt de beste garantie dat het juiste apparaat op het juiste moment beschikbaar is.

RUIMTE VOOR AUDIOVISUELE APPARATUUR

Evenwichtig geheel

Een fraai wandmeubel met opbergruimte op maat voor alle audiovisuele apparatuur biedt ook plaats voor kunst en dierbare voorwerpen.

Een speciale ruimte voor beeld- en geluidsapparatuur in een kastenwand is een doelmatige en stijlvolle manier van opbergen. Door rond een tv-scherm een wand met vakken te plaatsen krijgen ook andere interesses en hobby's aandacht en is het zowel met open als met gesloten deuren een aantrekkelijk geheel. Dat is vooral een goed idee voor ruimtes die een dubbelfunctie hebben, zoals zitkamer, slaapkamer en werkkamer. Allerlei accessoires en aanverwante attributen moeten in de buurt van de tv opgeborgen kunnen worden, dus zorg voor extra laden en planken in het tv-vak. Schuifdeurtjes zijn ook erg praktisch.

Voor een tv-kamer waar ook kinderen spelen, kun je het best materialen kiezen die gemakkelijk schoon te houden zijn. Tegenwoordig vallen daar ook leer en wasbaar suède onder, zodat zelfs zitkamers stijlvol gemeubileerd kunnen worden. Katoen blijft een zorgeloze optie voor bekleding, vooral chenille met een duidelijke textuur en geruwd katoen.

Iedereen heeft wel een creatieve hobby en het bezit van een speciale ruimte om daarmee bezig te zijn kan van beslissende betekenis zijn voor iemands levensgeluk. Of je hobby nou een rustige bezigheid is die niet meer vraagt dan pen en papier of dat je een atelier, een draaibank of een pottenbakkersschijf nodig hebt, het bezit van een plek om te doen wat je graag doet is van belang voor een gelukkig bestaan. Die plek kan bestaan uit een hoek van het keukenaanrecht of uit een groot atelier op zolder. Het be-

STIMULEER
CREATIVITEIT

DE RUIMTE WAAR JE JE UITLEEFT IN JE HOBBY EN LIEFHEBBERIJEN MOET INSPIREREND ZIJN. BESTEED ZORG AAN DE INRICHTING, ZORG VOOR COMFORTABELE MEUBELS EN GEEF DE RUIMTE EEN PERSOONLIJK TINTJE.

langrijkste is dat het een plek voor jou alleen is. De beste hobbyruimtes zijn een combinatie van orde en inspiratie. Zoek allereerst een ruimte die bij je activiteiten past. Schep orde met praktische meubels, verlichting en bergruimte, en organiseer alles zo dat het creatieve proces zichtbaar is. Richt je dan op de details. Omring jezelf met dierbare voorwerpen die je inspireren tot resultaten waar je trots op kunt zijn en zorg dat je voldoende schapruimte hebt voor naslagwerken en tijdschriften. Schep zo veel mogelijk privacy en zorg voor een lekkere stoel en andere voorzieningen die je aanmoedigen om rustig de tijd te nemen om zaken te overdenken.

Een zonnige studio

Kunstenaars hebben helder daglicht nodig om te kunnen werken. De beste werkruimtes laten zo veel mogelijk licht binnen en vertonen orde.

Beeldend kunstenaars hebben veel daglicht nodig – kunnen zelfs niet zonder. Als je daar ook van uitgaat voor je eigen hobbyruimte, zal dat bevorderlijk zijn voor je energie en inspiratie.

Of er in je atelier een schildersezel, een bureau, een draaibank of een werkbank staat, doet niet ter zake; houd de boel in elk geval opgeruimd. Zorg dat er zo veel mogelijk daglicht op je werkvlak valt; een raam op het noorden is ideaal, maar al het natuurlijke licht stimuleert de creativiteit en werkt positief op je humeur. Kies dunne gordijnen of zonwering, zodat er zo veel mogelijk licht via de ramen binnenkomt of laat de ramen volledig onbedekt als de privacy er niet door aangetast wordt.

Een organisch geheel

Een eenvoudige maar opgeruimde schuur blijkt allerlei praktische oplossingen te vertonen die in elke werkruimte kunnen worden toegepast.

'Alles op een vaste plaats' is meer dan een cliché. Het is een filosofie waar iedereen die creatief bezig is zijn voordeel mee kan doen. Iedere activiteit heeft een specifieke, vanzelfsprekende volgorde van werken, dus let daarop en richt de ruimte aan de hand daarvan in.

Een goed geoutilleerde tuinschuur heeft verschillende werkplekken voor specifieke karweitjes – het laten kiemen van zaden, verpotten van planten, bestuderen van tuinboeken of handleidingen – en er is bergruimte voor alle benodigdheden: opbindstokken, potgrond, mest, zaden enzovoort. Er is plaats voor gereedschappen en een plek om ze schoon te maken, en er is zelfs ruimte voor waardevolle herinneringen en verzamelingen, die de werkplaats een persoonlijke sfeer geven.

HET GEHEIM VAN DEZE RUIMTE

Een verweerd schuurtje in de achtertuin, met planken langs de wanden, emmers en een zinken werkblad, is een heerlijke ruimte om te tuinieren of daar plannen voor te maken.

■ RUIMTES WAARIN VERSCHILLENDE DINGEN MOETEN WORDEN GEDAAN zijn ingericht zoals je dat bij een keuken zou doen. Natte gedeelten waar bij het verpotten met aarde gemorst wordt, zijn gescheiden van droge gedeelten waar je planten kunt tekenen of lezen.

■ EEN ZINKEN BAK gevuld met droog zand maakt handschopjes en ander klein gereedschap in een oogwenk schoon en vormt een uitstekende bewaarplaats die beschermt tegen roest.

■ HOUTEN LADEN zijn in vakken verdeeld zodat kleine stukjes touw, etiketten en zakjes zaad die anders een chaos zouden worden, netjes opgeborgen kunnen worden.

■ TWEEDEHANDS SPULLEN passen als witgeschilderd geheel uitstekend in een eenvoudige tuinschuur.

■ EEN VERZAMELING OUDE HANGSLOTEN maakt de ruimte persoonlijk.

In het atelier van een kunstschilder zorgen een gedurfd kleurgebruik, een praktische manier om op te bergen en een intelligent ruimtegebruik ervoor dat de werkruimte net zo aantrekkelijk is als een galerie.

■ **EEN PLAAT PLEXIGLAS**, met behulp van stukjes loden pijp tien centimeter boven het blad van een bureau aangebracht, vormt een fraaie vitrine voor kleiner gereedschap en materialen.

■ **OPEN OPBERGVAKKEN**, tegen elkaar aan gezet zodat ze midden in de ruimte een werktafel vormen en van alle kanten toegankelijk zijn, laten rondom voldoende loopruimte vrij.

■ **EEN BONTE VERZAMELING OPBERGMOGELIJKHEDEN** staat niet alleen leuk maar is ook erg praktisch. Blikken, glazen potten, planken, dozen, tassen — zelfs een timmermanskist — houden de boel op orde.

STIMULEER CREATIVITEIT

Als een kunstenaar

Ga bij het inrichten van een atelier te werk met het oog van een kunstenaar. Een creatieve benadering van het opbergprobleem en het ruimtegebruik zorgt voor een persoonlijke sfeer.

Kunstenaars zijn meesters in het scheppen van orde uit chaos en dat talent strekt zich soms ook uit tot hun werkomgeving. Wie met de creatieve blik van een kunstenaar de praktische inrichting van een studio aanpakt, krijgt een resultaat dat even bijzonder is als een kunstwerk.

Door gereedschap, materialen en werkstukken in wording op een creatieve en grappige manier op te bergen krijgt het oog rust en de ruimte iets bijzonders. Zoek naar ongebruikelijke attributen – verfblikken aan de muur voor in- en uitgaande post bijvoorbeeld – of interessante voorwerpen die een tweede leven krijgen als bergruimte, zoals een oude kinderstoel voor materialen die dikwijls worden gebruikt. Spring creatief om met de beschikbare ruimte zodat die optimaal wordt benut. Met kasten tegen de muur houd je de ruimte in het midden open, zodat je daar vrij kunt bewegen; als je alle bergruimte in het midden bij elkaar zet, kun je er van alle kanten bij en houd je eromheen vrije loopruimte.

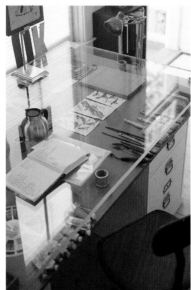

Je hoeft niet naar bos of duin om te genieten van het buitenleven. Nooit eerder was het zo eenvoudig om buitenshuis te ontspannen. Kijk goed naar je eigen terras of patio. Profiteer optimaal van de ruimte die je daar hebt door er een uitnodigend zitje te maken. De buitenruimte is dikwijls de sluitpost van de inrichting, maar dat is volstrekt onterecht. Maak je terras even comfortabel als de rest van je huis en kies ook voor de buitenmeubelen je eigen stijl. Dat kan een landelijke stijl zijn, maar ook die van een luxe

GENIETEN VAN HET
BUITENLEVEN

DE SPONTANE REACTIE OP MOOI WEER IS NAAR BUITEN GAAN OM ERVAN TE GENIETEN. HAAL ALLES UIT HET ZOMERSEIZOEN DOOR BUITEN PLEKJES IN TE RICHTEN WAAR JE ZORGELOOS KUNT ONTSPANNEN EN GENIETEN.

cruiseschip of een pretentieloze strandtent. Met de moderne weerbestendige materialen kun je accessoires precies zo op elkaar afstemmen als in je woonkamer. Wat zijn je favoriete bezigheden buitenshuis? Richt je terras daarop in – of op luieren, als je daarvan houdt. Maak het zo comfortabel mogelijk: lekkere stoelen om gezellig te praten, een tafel die groot genoeg is om aan te eten en drankjes op te zetten, en stevige kussens die uitnodigen tot luieren. Een mooi kleed op tafel, kaarsen, verlichting en andere accessoires maken het geheel af en zorgen voor een persoonlijke sfeer. Met foulards, plaids en kussens voelen je gasten zich helemaal thuis.

Als aan het strand

Met een zorgvuldige keuze van meubilair kan een terras aan de rand van het zwembad de hele zomer lang ieders favoriete plek zijn.

Het geheim van het ultieme buitenleven is de combinatie van mooi en comfortabel met zo weinig mogelijk onderhoud. Dat betekent prettige stoelen en comfortabele voorzieningen voor iedereen, die bovendien tegen een stootje kunnen. Kies voor praktische meubels van weerbestendig hardhout. Zorg voor grote en kleine kussens in vrolijke kleuren die passen bij het buitenleven; neem voor de hoezen goed wasbare, niet-verkleurende stof zodat ze er het hele seizoen fris blijven uitzien. Creëer uitnodigende zitjes in de schaduw met behulp van een grote parasol of markies van canvasdoek. Koop serviesgoed van kunststof of ander duurzaam materiaal en zorg voor handige extra's zoals opgerolde handdoeken en waterkaraffen.

HET GEHEIM VAN DEZE RUIMTE

Dit uit twee gedeelten bestaande terras aan de rand van een zwembad vormt een onweerstaanbare uitnodiging om van de zon te genieten of gezellig te ontspannen in de schaduw.

■ DEZE WATERBESTENDIGE STRETCHERS, voorzien van een matras met badstofbekleding in vrolijke kleuren, zijn uitgerust met een klein uitschuiftafeltje, zodat een drankje binnen handbereik is. Een melkflessenrekje gevuld met teenslippers is een extra attentie voor de gasten.

■ CANVASPARASOLS langs het zwembad beschermen tegen de zon als de zwemmers behoefte hebben aan wat schaduw. Een tent naast het zwembad met canvasgordijnen en comfortabele stoelen vormt een gezellige plek om even uit de zon te zitten praten en iets te eten.

■ BANKEN VAN TEAKHOUT doen tegelijk dienst als borreltafel en zijn snel buiten te zetten als er gasten komen.

■ KLEURIGE PLASTIC DIENBLADEN zijn erg praktisch naast het zwembad. Bevroren schijfjes citroen en limoen vormen een lekker alternatief voor ijsblokjes.

Een terras in de stad

Een dakterras of balkon kan even ontspannend zijn als een groot terras. Schep je eigen paradijsje op het kleinste platje.

Stadsbewoners hebben evenveel behoefte aan buitenlucht als hun medeburgers op het platteland. Gelukkig is het niet moeilijk om een groene oase te scheppen op een balkon of plat dak. Bepaal eerst het formaat van je balkon of dakterras. Kies meubels en potten van een formaat dat past bij de beschikbare ruimte. Een goedgekozen kleine tafel en stoelen kunnen de indruk wekken van een compleet terras en een enkele rij planten geeft een gevoel van beslotenheid. Kies vervolgens duurzame, lichtgewicht materialen; plastic potten op zwenkwieltjes maken het gemakkelijk om planten met de zon mee te draaien zodat ze voldoende licht krijgen. Vergeet ten slotte de verlichting niet; een paar lampen op zonneenergie in de plantenbakken zorgen voor 's avonds voor een sfeervolle verlichting van de daktuin.

HET GEHEIM VAN DEZE RUIMTE

Dit kleine balkon in de stad heeft het effect van een grotere tuin dankzij de uitgekiende verhoudingen. Planten en meubilair vullen de ruimte zonder hem volledig op te slokken.

■ OVERDADIG BLOEIENDE PLANTEN in plastic potten verzachten de strakke lijnen van het balkon en roepen het idee van een border op.

■ VERWEERDE PLANKEN geven het balkon een natuurlijke uitstraling; ze kunnen op het beton worden gelegd, waardoor een daktuin in de stad een meer rustieke sfeer krijgt.

■ LAMPEN DIE OP ZONNE-ENERGIE WERKEN en lichtgevende bollen zorgen 's avonds voor bescheiden verlichting. Deze lampen hebben maar zes uur zonlicht nodig om te worden opgeladen en zijn milieuvriendelijk en mooi om te zien.

■ EEN METALEN TAFELTJE MET POEDERCOATING is bestand tegen alle weersomstandigheden en ideaal voor een kleine ruimte. Een poef van zeegras die bij mooi weer naar buiten kan, vormt een zacht zitje. eZulke accessoirs van zeegras binnen zorgen voor een ontspannen zomerse sfeer.

GENIETEN VAN HET BUITENLEVEN

Een buitenkamer in de stijl van een botenhuis

Met meubels die even comfortabel zijn als binnenshuis is een botenhuis dat naar alle kanten open is een ideale recreatieruimte.

Waarom zou je teruggaan naar huis nadat je de boot hebt afgemeerd als je het liefst aan het water bent? Verander de beschutte ruimte van een botenhuis in een buitenkamer en rek de middagen op het water tot in de late avonduren. Het enige dat je nodig hebt, zijn een paar comfortabele stoelen om de benen te strekken – losse zitelementen zijn fantastisch – en een paar persoonlijke toevoegingen om het gezellig te maken.

De frisse kleuren en bijzondere vorm van de scheepsbenodigdheden vormen het uitgangspunt voor de inrichting. Kies lichtgewicht stoelen, die aan het eind van het seizoen gemakkelijk opgeborgen of mee naar huis genomen kunnen worden en gebruik stevige, schimmelwerende materialen voor de bekleding. Ruim een plekje in voor het opbergen van waterski's en vishengels, maar maak je niet druk om het allemaal uit het zicht te houden; het gaat hier in de eerste plaats om het uitzicht op het water en de natuur.

Schaduwrijk bosje

Een plek onder de bomen voor een feest, etentjes en spelletjes buiten is een luxe maar eenvoudig te realiseren voorziening in een grote achtertuin.

Als je altijd al hebt gedroomd van die uitgebreide lunches die je in Franse of Italiaanse films ziet, onder de bomen en afgewisseld met een spelletje jeu de boules, dan ben je niet de enige. Het goede nieuws is dat een dergelijke sfeervolle lunchplek ook in je eigen achtertuin te realiseren is. In rijen geplante, snelgroeiende bomen vormen in korte tijd een 'buitenkamer' waarvan toekomstige generaties nog lang zullen genieten.

Als aanwinst voor de tuin is dit een ontwerp dat eenvoudig is, maar veel effect heeft. Kies een geschikte plek en plant twee even lange rijen snelle groeiers zoals populieren, wilgen of ratelpopulieren. Breng ten slotte een laag grind aan; niets is beter bestand tegen schaduw, spelletjes en betreding.

HET GEHEIM VAN DEZE RUIMTE

Het zijn de details die deze in wezen simpele plek veranderen in een perfecte omgeving voor een familiereünie en lange middagen aan tafel of op de jeu-de-boulebaan.

■ EEN KRAAKHELDER WITLINNEN TAFELKLEED en dikke kussens op de houten banken dragen bij aan de feestelijke stemming. Zelfs een rustieke picknicktafel ziet er daardoor chic uit.

■ AARDEWERK BORDEN in plaats van wegwerpservies en echt bestek in plaats van plastic zijn belangrijke details die de gasten het gevoel geven dat ze echt verwend worden.

■ EXTRA STOELEN, twee aan twee of in een groep gerangschikt, stimuleren tot gezellige gesprekken, maar kunnen ook bijgeschoven worden aan tafel.

■ STORMLAMPEN die stevig in het grind worden neergezet en lampen aan overhangende takken maken zo'n avond buiten tot een onvergetelijke gebeurtenis.

■ STROOIEN HOEDEN vormen een accent met een knipoog voor een middagje ouderwetse pret en spelletjes.

EEN MIDDAGSLAAPJE IN DE SCHADUW IS HET ULTIEME GENIETEN ALS HET WARM IS. KIES EEN KNUS PLEKJE EN BESTEM DAT VOOR EEN ONGESTOORDE SIËSTA.

Een weerbestendig bed, *linksboven*, is heel verleidelijk voor zwemmers die toe zijn aan wat rust en ontspanning. Zet het onder een afdak of grote parasol en bekleed het met matrassen, kussens die nat mogen worden en een dunne deken voor als het wat kil wordt.

Een katoenen tent, *links*, is een complete buitenkamer. Om er de hele zomer van te genieten kun je er een kampeerbed en een draagbaar kacheltje in zetten. Zorg ook voor een heleboel kussens.

Met een draagbare stretcher, *boven*, heb je in twee minuten een heerlijk slaapplekje in de achtertuin gecreëerd. Je hoeft niets anders te doen dan de stretcher, een deken en een kussen te pakken en de meest geschikte plek op te zoeken.

Een ouderwetse hangmat, *rechts*, is een zomers artikel dat moeilijk te weerstaan is. Hang er aan het begin van de zomer een op tussen twee bomen in de schaduw of op een overdekt terras en je hebt een perfecte plek om van een middagslaapje in de buitenlucht te genieten.

KLEUR

'KLEUR HEEFT HET VER-

MOGEN OM TE KALMEREN, TE

TROOSTEN, TE ACTIVEREN EN

TE INSPIREREN. IK WIL ZO-

DANIG KLEUR IN ALLE KAMERS

VAN MIJN HUIS BRENGEN DAT

HET EEN SCHITTEREND

HARMONIEUS GEHEEL WORDT.'

Kleuren kiezen

Om een andere kleur te kiezen ga je eerst na welke tinten je mooi vindt. Met behulp van onze kleurschema's kun je de kleuren in je huis prachtig op elkaar afstemmen.

Een van de meest gestelde vragen die Pottery Barn van klanten krijgt, is welke verfkleur er voor de kamers in onze catalogus is gebruikt. Wij beantwoorden die vraag door onze favoriete muurkleuren te laten zien en uit te leggen waarom we die hebben gekozen. Onze kleurkeuzes zijn te verdelen in twee grote categorieën: neutrale en aardekleuren, en diepe en zachte kleuren. Binnen elke categorie gebruiken we het liefst een ingehouden kleurschema: liever vaag dan fel, warm maar niet vurig, eerder aangenaam dan opvallend. Het zijn kleuren die spreken maar nooit schreeuwen, en ze

weerspiegelen onze filosofie dat de kleuren die je kiest de meubels in een ruimte moeten accentueren, niet overheersen.

Ook wanneer je maar één kamer schildert is het nuttig om eerst een kleurschema voor het hele huis op te zetten. Je zult zien dat het creëren van een rustgevend plan met van kamer tot kamer in elkaar overlopende kleuren eenheid in je huis brengt en het kiezen van kleuren voor elke ruimte eenvoudiger maakt. Gebruik de voorbeelden op de bladzijde hiernaast als uitgangspunt. Bij alle kleurstalen in dit boek vermelden we de naam en het artikelnummer van de verfkleur van Benjamin Moore die er het dichtst bij komt. Test voor de zekerheid altijd of de kleur die je overweegt overeenkomt met de werkelijkheid, omdat het drukproces de kleuren anders weergeeft.

LICHT EN KLEURINTENSITEIT

Een kleur kan lichtere of donkerder nuances hebben en lijkt onder verschillende soorten belichting te veranderen.

■ NATUURLIJK LICHT EN SCHADUW veranderen het aanzien van een verfkleur tot nuances van de originele kleur, zoals hierboven; het lijken bijna verschillende kleuren. Zorg ervoor dat je een kleur zowel bij daglicht als bij kunstlicht bekijkt, zodat je het verschil ziet.

■ DE INTENSITEIT van een kleur geeft aan hoe licht of donker een tint is. Hierboven staan de lichtere intensiteiten (tinten) van de muurkleur boven aan de reeks penseelstreken, en worden naar onderen toe steeds donkerder tinten weergegeven. Door verschillende intensiteiten van een kleur te kiezen kun je heel goed de kleuren van verschillende ruimtes met elkaar laten harmoniëren.

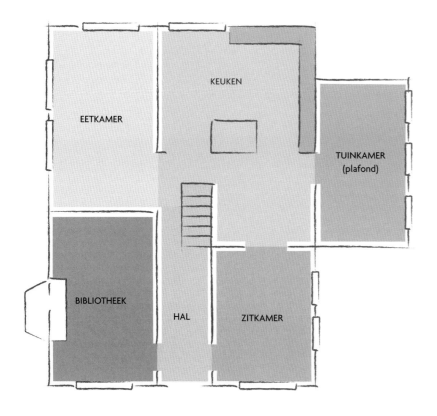

HET OPSTELLEN VAN EEN KLEURENPLAN

Een kleurenschema voor het hele huis leidt tot meer samenhang omdat in een harmonieus palet elke kleur door de andere wordt ondersteund.

■ TINTEN VAN DEZELFDE INTENSITEIT dienen om verschillende muurkleuren die tegelijkertijd zichtbaar zijn tot een harmonisch geheel te maken, zoals zitkamer, bibliotheek en entree.

■ KIES VOOR DE HAL een kleur die net iets anders is maar wel harmonieert met de aangrenzende ruimtes.

■ HET WARME GRIJSBRUIN VAN DE BIBLIOTHEEK vraagt om een complementaire lichtergrijze kleur voor de keuken en de ontbijtruimte.

■ DE MUREN VAN DE TUINKAMER hebben dezelfde kleur als die van de aangrenzende keuken. Om de eenheid tussen de twee ruimtes nog meer te benadrukken is het blauwgroen van de keukenkasten herhaald op het plafond van de tuinkamer.

■ DE EETKAMER is in warme, neutrale kleuren gehouden maar neigt meer naar beige dan naar grijs.

■ VOOR DE KOZIJNEN en ander houtwerk is in het hele huis Simply White gebruikt, een warme tint wit.

Simply White 2143-70

Clay Beige OC-11

Collingwood OC-28

Cape Hatteras Sand AC-34

Horizon Gray 2141-50

Buxton Blue HC-149

Winter Gates AC-30

KLEUREN IN EEN OPEN WOONRUIMTE

Wanneer meerdere ruimtes of kamers tegelijkertijd zichtbaar zijn, is het des te belangrijker om een kleurenschema voor het hele huis te bepalen.

■ BEGIN MET EEN KLEUR die je mooi vindt. Dit kleurenschema gaat bijvoorbeeld uit van de diepe roestbruine kleur die in de eetkamer is gebruikt. In de bibliotheek aan de andere kant van de hal is een lichtere tint gebruikt, om de kleur van de eetkamer enigszins te temperen.

■ VERZADIGDE KLEUREN zoals Gold Rush en het donkere bruin in het toilet zijn geschikter voor ruimtes die maar af en toe gebruikt worden.

■ TREK DE KLEUR VAN DE HAL door naar de zitkamer om richting aan te geven. Hier wordt voor de aangrenzende ruimtes een niet al te donkere grijsbruine tint gebruikt.

■ KIES VOOR EEN CENTRALE RUIMTE een neutrale kleur en bouw daarop verder. Een lichte steenkleur definieert de keuken, het grijsbruin van de zitkamer geeft deze wat meer gewicht en het crème in de woonkamer accentueert de grootte ervan.

■ VOOR DE KOZIJNEN en ander houtwerk is Super White gebruikt, een heldere kleur wit die een pittig accent vormt.

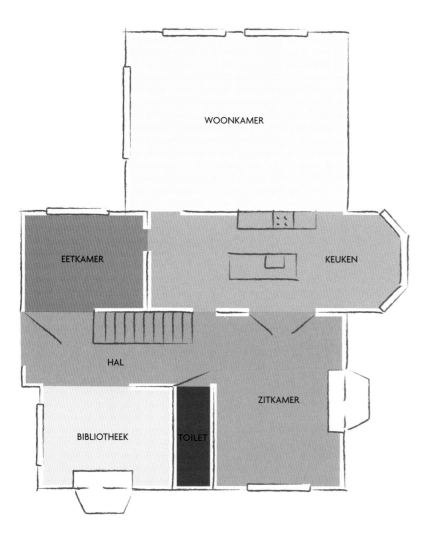

Super White

Elephant Tusk OC-8

Philadelphia Cream HC-30

Hot Spring Stones AC-31

Shenandoah Taupe AC-36

Gold Rush 2166-10

Middlebury Brown HC-68

Neutrale kleuren en aardekleuren zijn tinten die ook in de natuur voorkomen en die een fundamenteel gevoel van welbehagen oproepen — leigrijs, roomwit, hemelsblauw, terracotta en mosterdgroen zijn goede voorbeelden. Onze favoriete neutrale kleuren vind je aan de lichtere kant van deze groep, onze aardetinten aan de donkere zijde (zie de afzonderlijke kleurschema's op de bladzijden hierna). Neutrale tinten geven een ruimte een rustige uitstraling en vormen bovendien een uitstekende basis waaraan je in-

NEUTRALE
EN AARDEKLEUREN

DEZE TINTEN ZIJN AANGENAAM EN PRETTIG OM IN TE LEVEN OMDAT JE ER ALLE KANTEN MEE OP KUNT. MAAK GEBRUIK VAN HET KALMERENDE EFFECT OM EEN KOESTEREND HUIS TE CREËREN.

tensere kleuren kunt toevoegen. Door het toevoegen van warmere kleuren geef je een ruimte diepte; doorgaans gaan warme neutrale tinten als roomwit goed samen met rode en gele accenten. Koelere neutrale kleuren als grijzen en witten combineren het beste met fris blauw en tinten uit het koelere deel van het kleurschema. Aardekleuren zijn een natuurlijke voortzetting van neutrale kleuren, maar zijn warmer en rijker. Hun intensiteit kan afhankelijk van je smaak en de hoeveelheid licht in een ruimte verdiept of juist verzacht worden. Gebruik een intensere aardekleur bijvoorbeeld maar op één muur als je een rustiger effect wilt of als de kamer te donker dreigt te worden. Combineer diepe aardekleuren met heldere kleuren zoals groengeel of zonnig geel voor een modern effect.

Neutrale kleuren

Op het gebied van kleur betekent neutraal niet karakterloos of saai. Onder neutrale kleuren verstaan we een hele reeks subtiele variaties waaronder lichte tinten blauw, groen, rood of geel. Een ruimte krijgt een voornaam karakter en diepte door kleuren te combineren die net iets van elkaar verschillen.

Neutrale tinten zijn de kameleons onder de kleuren, een oneindige reeks wit-, grijs- en bruintinten die als reactie op wisselingen van het licht gedurende de dag veranderen. Afhankelijk van de kleurwaarde kan een neutrale kleur fungeren als een dominante of een achtergrondkleur. Een aantal waarden van dezelfde neutrale kleur zorgt voor afwisseling en reliëf. Omdat ze de samenhang tussen ruimtes subtieler accentueren dan andere kleurschema's, vormen ze een voor de hand liggende keus voor een huis met veel open ruimtes. Neutrale verfkleuren zijn gebaseerd op rood, geel, groen of blauw; die ondertoon komt sterker naar voren als de verf op je muur zit. In een echte bruintint bijvoorbeeld zit wat rood, beige neigt naar groen, en een andere bruintint kan gele componenten bevatten. Op dezelfde manier neigt grijs naar warmer of koeler, afhankelijk van de hoeveelheid rood of blauw die erin zit. Het is moeilijk om het verschil te zien als je een kleur bekijkt, maar dat wordt gemakkelijker als je meerdere kleuren naast elkaar ziet.

Let bij het kiezen van kleuren goed op de tint van houten vloeren, ingebouwde kasten, tapijten en vaste bouwkundige elementen zoals steen of baksteen in de betreffende ruimte — eikenhout bijvoorbeeld wordt door warme kleuren benadrukt. Kies een kleur muurverf die harmonieert met de ondertoon van de materialen die in de ruimte zijn gebruikt, of juist een contrasterende tint om de kleur ervan te accentueren.

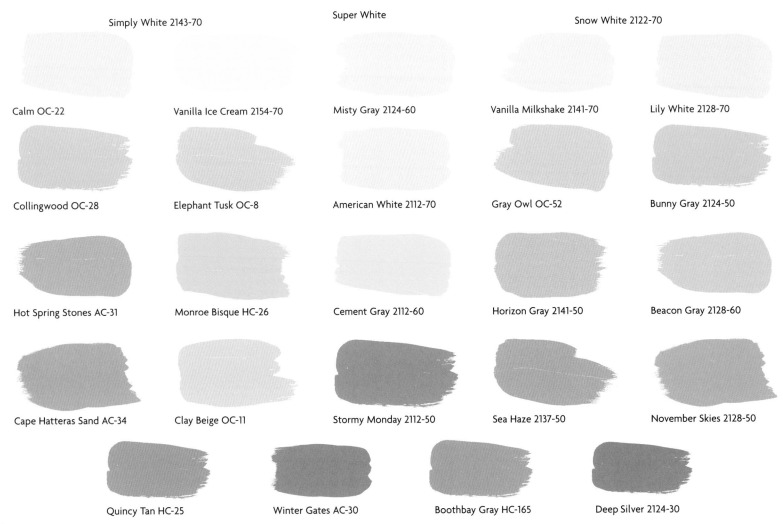

Simply White 2143-70

Super White

Snow White 2122-70

Calm OC-22

Vanilla Ice Cream 2154-70

Misty Gray 2124-60

Vanilla Milkshake 2141-70

Lily White 2128-70

Collingwood OC-28

Elephant Tusk OC-8

American White 2112-70

Gray Owl OC-52

Bunny Gray 2124-50

Hot Spring Stones AC-31

Monroe Bisque HC-26

Cement Gray 2112-60

Horizon Gray 2141-50

Beacon Gray 2128-60

Cape Hatteras Sand AC-34

Clay Beige OC-11

Stormy Monday 2112-50

Sea Haze 2137-50

November Skies 2128-50

Quincy Tan HC-25

Winter Gates AC-30

Boothbay Gray HC-165

Deep Silver 2124-30

Zuiver wit, *links*

Wittinten vormen de ultieme neutrale kleuren. Hier wordt een roomwitte muurkleur gecombineerd met een reeks warme witte tinten voor meubels en accessoires, aangevuld met accenten in de vorm van glanzend hout en soepel leer. Hoewel de kamer vrijwel in één kleur is gehouden, heeft hij een warme en gastvrije uitstraling dankzij een uitgekiende balans van accentkleuren en ondertonen.

Gecombineerde kleuren, *rechts*

Een warmere grijsbruine muur in een slaapkamer past uitstekend bij het lichtgeel van de hal, dat de ondertoon accentueert. Houd bij het bepalen van een kleur ook rekening met het uitzicht van de ene ruimte op de andere. De geelbruine kleur van de houten vloer en het opvallende bedtafeltje harmonieert ook prachtig met de kleur van de verf. Kozijnen en kasten zijn geverfd in een warme witte tint, die samen met het zijden en katoenen witte beddengoed een fris contrast vormt met het warme kleurenschema.

Chique ingetogenheid, *links*

Warm grijs is allesbehalve saai als het geraffineerd wordt toegepast. In combinatie met kastjes van donkerbruin hout met een stenen bovenblad en helderwitte kozijnen werkt de bescheiden kleur van deze badkamermuren kalmerend – en dat is precies de bedoeling in een ruimte om te ontspannen en uit te rusten. De strakke stijl wordt verlevendigd door een grote variatie aan textuur: badstof bekleding op het bankje onder het raam, stapels handdoeken, een gevlochten mat en een stilleven van sponzen.

Aardekleuren

Met aardekleuren creëer je op een eenvoudige manier een natuurlijke, warme sfeer in je huis. De diepe, prachtige natuurtinten zijn tijdloos en heerlijk om door omringd te worden.

Aardekleuren zijn kleuren die in de natuur voorkomen: houtskool, kastanjebruin, oker, pruimkleurig, terracotta. Het zijn vertrouwde, geruststellende basiskleuren. Hoewel de door ons gekozen aardekleuren meestal donkerder zijn dan de neutrale kleuren en daardoor nadrukkelijker aanwezig, zijn ze ook ingetogen. We houden erg van deze tinten omdat ze een ruimte comfortabel maken, en ook omdat ze zo veelzijdig zijn. Hoewel deze kleuren van nature passen bij landelijke of informele ruimtes, zijn ze ook geschikt voor een meer verfijnde woonkamer en vormen ze een perfecte achtergrond voor glanzende stoffen. Aardekleuren zijn een uitstekende keus in ruimtes met veel natuurlijke materialen zoals houten balken of vloeren, of stenen of bakstenen open haarden. Ook passen ze goed in ruimtes die dagelijks worden gebruikt, zoals zitkamers of slaapkamers, waar het behaaglijke, knusse effect van diepere kleuren heel welkom is. In een tv-kamer zorgt een donkerdere aardekleur voor minder storend licht, waardoor de kleuren op het scherm beter zichtbaar zijn.

Ondanks de volle, rijke warmte van aardekleuren gaan ze goed samen met allerlei accentkleuren. Ze geven een verfijnde, pittige en gedistingeerde indruk als ze gecombineerd worden met roomwit; gebruik voor een getemperd, meer organisch effect een zachtere tint van de voornaamste kleur in de ruimte of een andere aardekleur voor kozijnen of accenten.

DE NATUUR ALS INSPIRATIEBRON

Als je kleurstalen verzamelt voor een kleurenschema van aardetinten, denk dan vooral breed en beperk je niet tot bruin en terracotta.

■ KIJK NAAR DE NATUUR voor inspiratie: zelfs een bijna kaal landschap heeft dikwijls nog onverwachte kleuraccenten. Neem ook een paar intensere kleuren op in je schema.

■ HOUD REKENING MET TEXTUUR bij het kiezen van kleuren. Een kleur in glad leer roept een ander gevoel op dan diezelfde kleur in linnen of chenille, waarbij de textuur de kleur warmer maakt.

■ DENK OOK AAN HET DESSIN: dessin en patroon zijn een belangrijke factor in elk kleurenschema, of het nu gaat om een effen vlechtpatroon of om een terugkerend motief op een bedrukte stof.

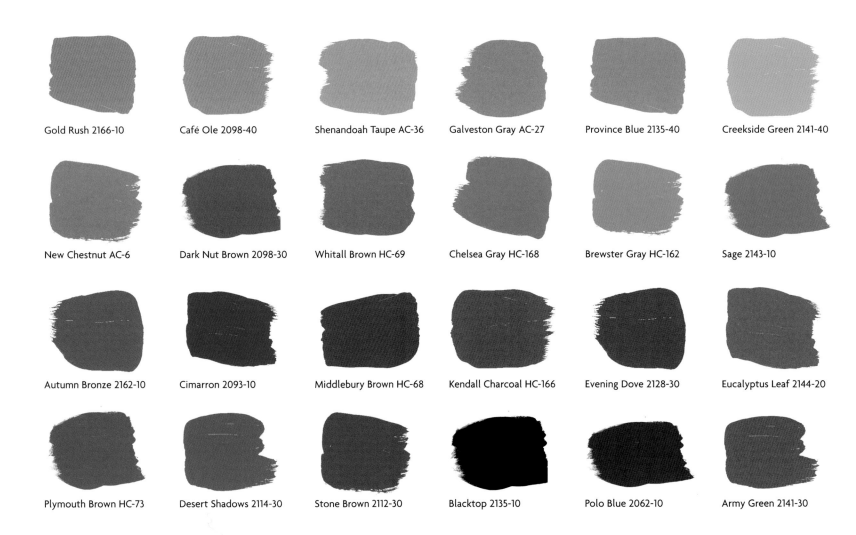

Gold Rush 2166-10   Café Ole 2098-40   Shenandoah Taupe AC-36   Galveston Gray AC-27   Province Blue 2135-40   Creekside Green 2141-40

New Chestnut AC-6   Dark Nut Brown 2098-30   Whitall Brown HC-69   Chelsea Gray HC-168   Brewster Gray HC-162   Sage 2143-10

Autumn Bronze 2162-10   Cimarron 2093-10   Middlebury Brown HC-68   Kendall Charcoal HC-166   Evening Dove 2128-30   Eucalyptus Leaf 2144-20

Plymouth Brown HC-73   Desert Shadows 2114-30   Stone Brown 2112-30   Blacktop 2135-10   Polo Blue 2062-10   Army Green 2141-30

Krachtig en nadrukkelijk, *links*

Bij aardekleuren wordt dikwijls vooral aan rode en bruine tinten gedacht, maar ook blauw en groen zijn kleuren uit de natuur en vormen belangrijke elementen in een palet van natuurtinten. Hier werkt de diepe grijsblauwe kleur, die ook terugkeert in de kelim op de vloer en de kussens op de bank, verkoelend op de rode tinten van het hout. De tamelijk donkere kleur van de muren zorgt voor een koesterende en knusse sfeer in deze leeshoek, die deel uitmaakt van een grote, open woonruimte.

Rustig en evenwichtig, *rechts*

Deze fraaie studeerkamer is gezellig maar toch niet onrustig dankzij de afgewogen kleurencombinatie. De lichtbruine muren, geaccentueerd door het wit van kozijnen en plinten en de op maat gemaakte rolgordijnen, zorgen voor een bijzondere sfeer. Op de vloer en in de keus van de meubels domineren donkere kleuren, waardoor een levendig spel tussen de lichtere muren en het donkere middendeel van de kamer ontstaat: het diepe bruin en de aardekleuren zorgen voor diepte, terwijl de lichtbruin met witte muren de ruimte juist oplichten en groter maken.

Natuurlijke chic, *rechts*

Een kleurenschema van aardetinten geeft een stijlvol interieur een natuurlijk aanzien. Koffiekleurige muren in een comfortabele en informele zitkamer komen des te mooier uit tegen helderwitte kozijnen en plinten. Natuurlijke materialen en accenten zorgen voor extra aardetinten en voegen bovendien interessante textuur toe – chenille, suède, leer, hout en bamboerolgordijnen voor de ramen. Het warme rood op de bank zorgt voor een verrassend en levendig accent in het neutrale kleurenschema.

Sommige mensen denken dat een ruimte niet compleet is zonder een felrood accent. Als je op zoek bent naar een opvallende kleur, is rood de onbetwiste winnaar en een uitstekend voorbeeld van wat een verzadigde kleur in een ruimte kan betekenen. Een felle kleur maakt je klaarwakker, het is een schreeuw om aandacht die meestal het beoogde effect heeft. Dat geldt ook voor mensen met een voorkeur voor zo'n mokerslag in dieppaars, smaragdgroen, indigo of oranje; die kleuren kunnen hetzelfde ef-

VERZADIGDE
EN PASTELKLEUREN

MENSEN DIE VAN FELLE KLEUREN HOUDEN EN DIE IN HUN HUIS WILLEN TOEPASSEN, MOETEN DE HARMONIE ZOEKEN IN DE COMBINATIE VAN EEN OPVALLENDE KLEUR EN DAARVAN AFGELEIDE ZACHTERE TINTEN.

fect hebben. Essentieel voor het gebruik van een verzadigde kleur zijn de sterkte en helderheid van de kleur en de zelfverzekerdheid waarmee je die toepast. De kleuren die wij 'zacht' noemen, zijn niet het andere uiterste van verzadigd; het zijn eerder hun neefjes. Zachte kleuren zijn romantisch, flatterend, ze vervelen niet snel en ze omvatten een groot aantal lichtere natuurtinten: hemelsblauw, lavendelblauw, citroengeel, viooltjesblauw, roze. Ze gaan uitstekend samen met neutrale kleuren of andere zachte tinten van dezelfde kleurwaarde. Pastelkleuren worden al sinds mensenheugenis gebruikt voor badkamers, slaapkamers en kinderkamers, maar wij laten zien dat ze ook in de zitkamer, eetkamer of keuken niet misstaan en een frisse indruk geven.

Verzadigde kleuren

Wat betreft oogverblindende kleuren in huis, zijn er twee soorten mensen: de een moet er niet aan denken, de ander kan zich niet voorstellen dat je zonder kunt leven. Gedurfde kleuren zijn de moeite waard om mee te experimenteren, maar dan wel zorgvuldig.

Niets zorgt zo duidelijk voor een schokeffect in een ruimte als een wand die in een felle kleur is geverfd. Maar doe eerst een eenvoudige test voordat je die sprong waagt. Teken een stuk muur van 30 × 120 centimeter af en probeer daarop de kleur uit – het liefst op twee muren, zodat je kunt zien hoe de kleur er onder verschillende lichtomstandigheden, inclusief lamplicht, uitziet. Als je moet kiezen tussen twee of meer kleuren, zet je van elk een kleurvlak op om te vergelijken. Laat de kleuren minstens een week

zitten zodat je een goede indruk krijgt.

Ook mensen met een wat behoudender smaak kiezen steeds meer voor één muur, een hal of een architectonisch element in een afwijkende kleur. Daarmee wordt de ruimte direct een stuk levendiger en zelfs de meest voorzichtige thuisschilder raakt enthousiast. Bij wijze van alternatief kun je beginnen met een weinig gebruikte kamer, zoals een speciale eetkamer waar de intensiteit van de kleur minder effect heeft dan in een ruimte die je dagelijks gebruikt.

Ongeacht het formaat van de ruimte die je wilt verven moet er een evenwicht zijn tussen felle kleuren en lichtere elementen: witte kozijnen of accenten in lichte of neutrale tinten, een lichtgekleurd kleed of houten vloer, meubelstoffering in gedempte kleuren. Maar pas vooral op dat je niet overdrijft. Beperk je tot één felle kleur in een kamer en houd ook rekening met de aanblik vanuit andere vertrekken.

VOLLE, DIEPE KLEUREN

Waarschijnlijk zul je nooit meerdere felle kleuren in één ruimte gebruiken. Zoek kleurstalen die je aanspreken, en die passen bij andere kleuren in het kleurenschema dat je voor ogen hebt.

■ GA VOORZICHTIG TE WERK bij het kiezen van een volle, rijke kleur, zowel als het om een hele ruimte als wanneer het om één muur gaat die je wilt laten opvallen. Houd rekening met het effect dat zo'n intense kleur op de ruimte zal hebben.

■ KIES VOOR ACCESSOIRES kleuren die terugkomen in de rest van de kamer. Kussens, foulards en andere accenten, effen of gedessineerd, vormen een essentieel onderdeel van een kleurenschema.

■ HOUD BIJ JE KLEURKEUZE ook rekening met de afwerking van meubels. Licht hout tempert expressieve kleuren enigszins, donker hout versterkt het effect van de kleur juist.

York Harbor Yellow 2154-40

Hawthorne Yellow HC-4

Guilford Green HC-116

Sherwood Green HC-118

Spicy Mustard 2154-20

Shelburne Buff HC-28

Alligator Green 2143-20

Guacamole 2144-10

Sangria 2006-20

Peatmoss 2103-30

Cabernet 2116-30

Gentleman's Gray 2062-20

Caramel Latte 2166-20

Deep Poinsettia 2091-30

Van Courtland Blue HC-145

Philipsburg Blue HC-159

Een opvallend accent, *links*

Een gedeeltelijke wand zoals deze die de scheiding vormt tussen de eigenlijke keuken en een open eetgedeelte, is bij uitstek geschikt voor een expressieve kleur. Het accentueren van één muur door een opvallende kleur is een slimme manier om te profiteren van de voordelen van een expressieve kleur zonder dat die gaat overheersen. Laat de kleur in de rest van de ruimte terugkomen in de vorm van decoratieve accenten zoals kussens, tafelgerei of andere accessoires. Rood doet het altijd fantastisch dankzij het opwekkende effect van deze kleur.

Interessant en pretentieloos, *rechts*

Geeltinten worden dikwijls gebruikt om een vrolijke en innemende sfeer te creëren – denk aan geelwitte zomerhuisjes – maar een diepgele kleur zoals het zonnebloemgeel dat hier is gebruikt, kan ook een kosmopolitische uitstraling hebben. Als je alle muren van een ruimte in een expressieve kleur schildert, is het meestal het veiligst om niet de meest felle kleur te kiezen maar een iets bescheidener tint te nemen die wel opvalt maar niet gaat overheersen, zodat de meubels de meeste aandacht blijven krijgen.

Knus en stijlvol, *links*

Rijke, volle kleuren werken in een kleine ruimte even goed als in grotere ruimtes, vooral als je een knus hoekje wilt creëren om te werken of om te lezen en te ontspannen. Deze werkkamer op zolder heeft met zijn dieppaarse muren en houten meubels een warme, uitnodigende sfeer. Het witgebeitste hout contrasteert prachtig met al die expressieve, donkere kleuren. Volop daglicht is in elke ruimte welkom, maar dat geldt des temeer in een kamer met expressieve kleuren.

Zachte kleuren

Zachte kleuren – niet te verwarren met pastel-kleuren – hebben een heel eigen aantrekkings-kracht. Ze hebben ook veel meer toepassings-mogelijkheden dan je misschien denkt.

Zachte kleuren waren ooit voorbehouden aan de slaap-kamer en de badkamer, maar worden tegenwoordig overal toegepast. Ook de manier waarop we met zachte kleuren decoreren is moderner geworden. De combina-tie van een zachte kleur op de muren met bloemetjesstof is tijdloos, maar diezelfde kleur bij een frisse, witlinnen stoffering is even uitnodigend. Voor het mooiste effect kun je het best de wat grijzere tegenhangers van pastel-tinten nemen, anders wordt het te zoet of te licht.

Net als felle kleuren kunnen zachte kleuren erop voor-uitgaan als ze gecombineerd worden met helderwitte kozijnen. Je kunt ook wat van de muurkleur door witte verf mengen, zodat je een lichtere versie krijgt, en die op plafond of kozijnen aanbrengen. Het gebruik van ver-schillende nuances van een favoriete kleur draagt bij aan het op elkaar afstemmen van aangrenzende oppervlak-ken. Voeg bijvoorbeeld wit toe aan de kleur die je voor de slaapkamer hebt gekozen en gebruik die op de muur van de badkamer. Of kies een iets donkerdere tint van de kleur in de slaapkamer voor de aangrenzende overloop. Verfspecialisten kunnen je van advies dienen om een mooi verlopend verschil in kleurnuances te krijgen.

Zachte kleuren doen het uitstekend in combinatie met zilverkleurige accessoires, variërend van het antieke zil-ver van je grootmoeder tot moderne stalen fotolijstjes. Ook vormen ze een prachtige achtergrond voor zowel zwart-witfoto's als kleurige schilderijen en voorwerpen in een contrasterende kleur.

LICHTE KLEUREN

Als je lichte kleuren kiest, denk dan eer-der aan 'fris' dan aan 'ingetogen'. Ga op zoek naar kleuren die doen denken aan de prille lente en zomerse ochtenden en de gedempte tegenhangers daarvan.

■ KIES MEUBELS die niet per se passen bij de kleur van de muren maar daar juist op een interessante manier tegen afsteken of com-plementair zijn.

■ NATUURLIJKE MATERIALEN zoals riet, raf-fia, linnen en sisal doen het fantastisch in een ruimte met zachte kleuren.

■ DENK AAN DE INTENSITEIT VAN DE KLEUR: kies een kleur voor de muren, en neem ver-volgens lichtere of donkerder tinten van diezelfde kleur voor plinten, accenten en textiel. Kies bij een warme kleur op de mu-ren als contrast koelere complementaire tinten en omgekeerd.

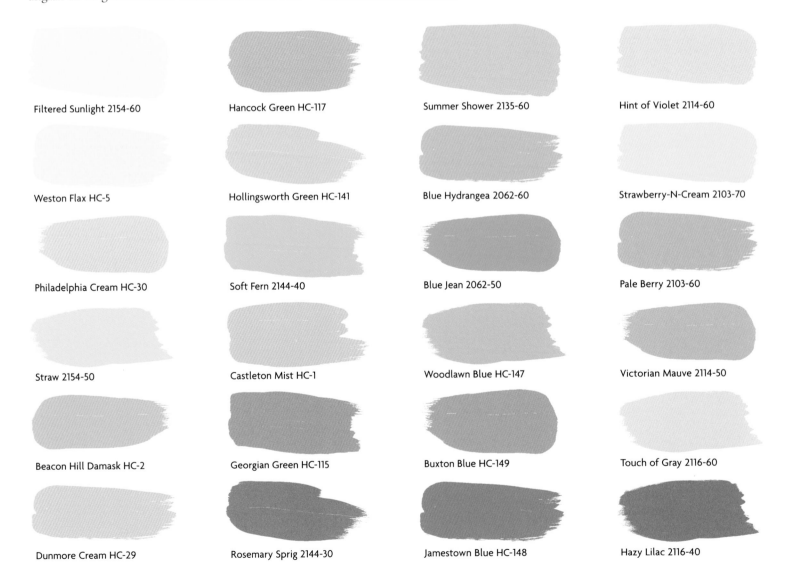

Filtered Sunlight 2154-60	Hancock Green HC-117	Summer Shower 2135-60	Hint of Violet 2114-60
Weston Flax HC-5	Hollingsworth Green HC-141	Blue Hydrangea 2062-60	Strawberry-N-Cream 2103-70
Philadelphia Cream HC-30	Soft Fern 2144-40	Blue Jean 2062-50	Pale Berry 2103-60
Straw 2154-50	Castleton Mist HC-1	Woodlawn Blue HC-147	Victorian Mauve 2114-50
Beacon Hill Damask HC-2	Georgian Green HC-115	Buxton Blue HC-149	Touch of Gray 2116-60
Dunmore Cream HC-29	Rosemary Sprig 2144-30	Jamestown Blue HC-148	Hazy Lilac 2116-40

ATLANTIC

BENJAMIN

Ongecompliceerde frisheid, *links*

Zonnige, vlasblonde muren en roomwit houtwerk gecombineerd met warme grenen meubels vormen een beproefde kleuren-combinatie waarin het elke dag heerlijk toeven is. Tegenwoordig zien we steeds meer lichte kleuren in zit- en eetkamers omdat ze een ruimte een heldere en opwekkende uitstraling geven, maar tegelijk een rustige achtergrond vormen. De een-voud van dit kleurenschema past uitstekend bij het pretentieloze karakter van de meu-bels.

Schoon en netjes, *rechts*

Hemelsblauw en wit maken van deze bij-keuken een frisse ruimte. Het kleurensche-ma is fris maar rustig en vormt een mooie achtergrond voor accenten in andere lichte kleuren – flessengroen en lentegroen, grijs-blauw, beige en roomwit – en voor mate-rialen zoals warm riet en koel metaal.

Een heldere uitstraling, *rechts*

Zachtgroene kleuren zoals dit appelgroen vormen een levendig maar toch veelzijdig toepasbaar kleurenspectrum. Volgens kleur-theoretici heeft groen een kalmerend effect, maar in combinatie met de witte kasten en wit houtwerk geeft het een ruim-te ook een buitengewoon frisse en heldere sfeer. In deze gezellige woonkamer zorgen warme houttinten, riet, sisal en katoenen keperstof voor de nodige warmte, afgewis-seld met enkele sterkere kleuraccenten in de vorm van foulards, kussens en andere accessoires.

De bijzondere eigenschappen van een dessin zijn bekend: dessins geven een ruimte karakter en diepte en zijn medebepalend voor de totaalindruk. Ze geven een effect van luxe, zijn er in een enorme verscheidenheid – stippen, bloemen, geometrische figuren, jacquardmotieven en strepen in allerlei formaten – en het effect wordt nog groter als ze op een artistieke manier worden gecombineerd. Omdat ze zelfs bescheiden toegepast veel effect hebben, zijn dessins ook erg praktisch. Het stempel dat ze op een ruimte

DESSIN
EN TEXTUUR

DESSIN EN TEXTUUR VORMEN DE ONDERGEWAARDEERDE STEUNPILAREN VAN EEN INTERIEUR, OMDAT ZE VOOR AFWISSELING EN EEN PERSOONLIJK ACCENT ZORGEN ZONDER OPDRINGERIG TE ZIJN.

drukken geeft de vrijheid om voor stoffering en gordijnen effen gekleurde stoffen te nemen en voor kussens, foulards en vloerkleden een gedurfder dessin te kiezen voor een frisse uitstraling of om je interieur af en toe met wat modieuze accenten op te peppen. Textuur, nauw verweven met dessin, geeft een ruimte een luxe aanzien door het gebruik van geruwd katoen, bont, zijde en fluweel, of maakt een formele inrichting minder stijf door het contrast van een rustieke mand, een handgeweven tapijt of een stenen schaal. Het aanbrengen van textuur in een ruimte lijkt op het uitnodigen van goede causeurs op een diner. Zoals je een gezelschap van interessante vrienden aan tafel nodigt om elkaar te inspireren, combineer je verschillende texturen in je huis voor een boeiend en afwisselend resultaat.

Dessins en textuur toepassen

Een van de voordelen van het werken met dessins en textuur in een ruimte is de vrijheid om toe te geven aan de behoefte aan afwisseling en spontane verandering, terwijl het geheel toch harmonieus blijft.

Zoals bij elk schijnbaar moeiteloos effect schuilt het geheim van een succesvolle combinatie van dessin en textuur in het begrip van enkele basisprincipes. De foto's hiernaast illustreren een simpele maar vrijwel waterdichte methode om vol vertrouwen verschillende dessins met elkaar te combineren. Verdeel stoffen in categorieën: effen stoffen, totaalprints, strepen, geometrische dessins en aan de natuur ontleende dessins (hier afgebeeld in reeksen van geel, blauw en rood). Zoek bij het kopen van woningtextiel voor een bepaalde kamer naar dessins in een gemeenschappelijke kleur, en kies uit elk van deze categorieën een dessin. Voor een levendiger effect kun je een afwijkende kleur kiezen, maar neem dan bij voorkeur dessins die qua grootte overeenkomen. Effen stoffen met een ingeweven dessin zijn ook heel geschikt, omdat ze moeiteloos te combineren zijn: brokaat, damast, visgraatdessins. Smokwerk, ruches, plooien en borduursel werken ook als dessin en laten zich goed combineren.

Vertaal deze principes naar de totale ruimte. Misschien heb je een combinatie van effen stoffering, een tapijt met een geometrisch dessin en gordijnen met een onopvallend streepje. Je zou extra stoelen kunnen toevoegen die gestoffeerd zijn met een kleine print en kussens neerleggen met een op de natuur geïnspireerd dessin.

Als alle meubels op hun plaats staan, ga je op zoek naar afwisselende texturen die voor visuele variatie zorgen. Begin met contrasten: glanzende zijde met mat fluweel, gebobbeld chenille met glad leer, geglazuurd aardewerk met landelijk hout. Probeer verschillende dessins en texturen uit door net zo lang iets weg te halen of toe te voegen tot je de perfecte combinatie hebt gevonden.

Effen stoffen
De effen componenten kunnen bestaan uit meubelbekleding of beddengoed, zoals klassiek linnen of zacht leer. Voor meer diepte neem je effen stoffen die stevig aanvoelen: mohair, chenille en matelasse, of geplooide of van ruches voorziene stof.

Herhaalde motieven
Kleine motieven die op een groot oppervlak worden herhaald creëren een totaaldessin dat zich leent voor verrassend veelzijdige combinaties. Doorgestikte en geborduurde weefsels, vooral met kleine, herhaalde motieven, zijn ook door hun textuur interessant.

Strepen

Strepen zijn misschien wel het meest veelzijdige dessin en komen voor in allerlei breedtes en kleuren, van ouderwetse beddentijk met ultrasmalle streepjes tot brede banen in markiezendoek. Daardoor zijn ze uitstekend te combineren met andere dessins.

Geometrische patronen

Een heel andere categorie van goed te combineren dessins vormen geometrische patronen, van simpel boerenbont en Schotse ruiten tot ingewikkeldere patronen die je aantreft in kelims, kussens en tapijten.

Bloemmotieven

Ranken, bloemen en allerlei andere patronen die aan de natuur zijn ontleend, zijn heel goed te combineren met andere dessins en zorgen voor zwier en een zekere losheid en zijn bovendien buitengewoon romantisch.

Meervoudig comfort, *links*

Deze rijke combinatie van dessins en textuur schept de sfeer van een oosters badhuis. Door het knappe contrast tussen gladde, gepolijste oppervlakken en ruwe, scherpe oppervlakken, laat dit voorbeeld zien hoe textuur en dessin elkaar versterken – de geometrie van de kelims komt terug in het herhaalde motief van het ijzeren hek, de ragdunne vitrage voor het raam contrasteert met het ruwe steen en de lemen muren. De steenkleur en de aardetinten van de verschillende onderdelen scheppen een harmonieus geheel.

Rustige dessins, *rechts*

Een subtiele combinatie van dessins zorgt hier voor een elegant en gedistingeerd geheel. Een aantal kussens met kleine, terugkerende motieven wordt een geheel door de overeenkomstige kleuren; in het tapijt keren deze kleuren terug in grotere motieven. Het onregelmatige weefsel van de foulard voegt extra textuur toe en is ook op te vatten als een dessin. Verschillen in textuur verhogen de aantrekkelijkheid van het geheel – de glans van zijde en leer tegenover het zachte ribfluweel van de bekleding van de bank.

Heerlijk comfortabel, *links*

Verschillende textuursoorten maken zelfs een eenvoudige, pretentieloze kamer interessanter en uitnodigend. Hier zorgt een kleurenschema in roomwit, blauw en bruin voor een stijlvol en gastvrij effect dankzij de geraffineerde combinatie van dessins en textuur. Het zichtbare weefsel van de stof waarmee de bank is bekleed, contrasteert met de fluwelen doorgestikte deken en de pluizige foulard. Kussens spelen vrolijk mee door de combinatie van effen, gestreepte en bedrukte stof, maar blijven prachtig binnen het kleurenschema.

LICHT

'ZONLICHT VERANDERT DE SFEER IN MIJN HUIS TOTAAL. IK WIL EEN EVENWICHTIGE COMBINATIE VAN VERLICHTING DIE DE WARME SFEER VERSTERKT, MAAR WAARMEE IK OOK VERSCHILLENDE STEMMINGEN KAN CREËREN.'

Natuurlijk licht wordt door iedereen hoog gewaardeerd. We zetten elke herfst de klok terug om van dat uurtje extra daglicht 's morgens te kunnen profiteren. In huis vormen ramen, dakramen, openslaande deuren en deuren met een zijraam de voornaamste openingen waardoor daglicht kan binnendringen en het zijn dan ook de beste uitgangspunten voor het maken van een verlichtingsplan voor je huis. Denk bij het kiezen van raamdecoratie niet alleen aan het decoratieve effect, maar vooral aan de mo-

WERKEN MET
NATUURLIJK LICHT

ZONLICHT BRENGT EEN KAMER TOT LEVEN. GEBRUIK HET ALS EEN KRACHTIG MIDDEL OM KLEUREN TE VERANDEREN, EEN WARME SFEER TE SCHEPPEN EN JE IN EEN VROLIJKE STEMMING TE BRENGEN.

gelijkheid om de hoeveelheid en kwaliteit van het licht in huis te regelen. Het patroon van strepen zonlicht dat door jaloezieën in je kamer valt, heeft iets vrolijks; ultradunne gordijnen voor het raam filteren het zonlicht, maar zodanig dat je nog wel naar buiten kunt kijken. Op ochtenden waarop je niet wilt dat zonlicht je slaapkamer binnendringt, houden gevoerde gordijnen of verduisteringsrolgordijnen het daglicht buiten. Behalve voor het al dan niet binnenlaten van licht zorgen gordijnen ook voor het verzachten van een ruimte vol harde oppervlakken, zoals de eetkamer. Als een ruimte vraagt om soberheid, vormen rolgordijnen, jaloezieën en luiken voor een passend alternatief en bovendien voegen ze een soort architectonisch element toe.

Stoffen raamdecoratie

Een juiste keuze van gordijnen betekent voor een kamer wat een kleurige sjaal is voor een alledaagse jas. Gebruik eenvoudige stoffen om textuur en kleur aan te brengen.

Eenvoudige, rechte lappen stof die sierlijk aan ijzeren of houten roeden omlaag hangen zijn tegenwoordig de standaard raambekleding. Ze maken inrichten niet alleen veel eenvoudiger dan het geklungel met valletjes en gordijnkwasten, maar zijn ook goedkoper en ze zijn in allerlei kant-en-klare varianten te koop. Gebruik ze om kleur en textuur toe te voegen aan een interieur.

Gordijnen kunnen al dan niet gevoerd zijn, en eventueel worden gecombineerd met vitrage. Ongevoerde gordijnen vallen soepel en natuurlijk en laten wat daglicht door. De combinatie van dunne vitrage van voile of mousseline met ondoorzichtige overgordijnen biedt een maximale privacy en optimale mogelijkheden om de hoeveelheid licht in een kamer te regelen. Doorschijnende stoffen als linnen, mousseline en voile filteren het licht zonder het uitzicht te belemmeren. Zwaardere stoffen zoals fluweel maken een formelere indruk maar houden 's zomers zonlicht en 's winters tocht buiten.

Effen of vaag gestreepte gordijnen vormen een rustigere achtergrond voor een kamer dan gordijnen met een druk dessin. Gordijnen in een kleur die bijna hetzelfde is als die van de muren vormen een chique aankleding van een kamer. Eenkleurig damast en ruwe zijde zorgen voor een interessante textuur en een natuurlijke elegantie in een verder sober interieur. Welke stof je ook kiest, door gordijnen hoog te bevestigen lijkt een ruimte direct hoger en chiquer.

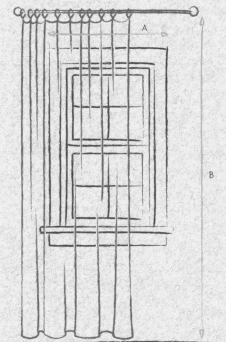

Doorzichtige vitrage, *links*, opgenomen bij de zoom en met een lint in het midden vastgezet; een eenvoudige manier om dunne gordijnen cachet te geven.

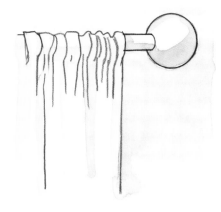

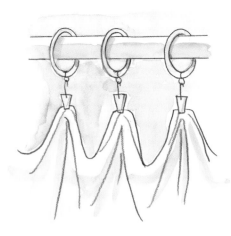

Ophangsysteem met rail

Een gordijnrail is gemakkelijk omdat de gordijnen met behulp van een koord of staaf aan de zijkant open en dicht getrokken kunnen worden. De rails zelf is onzichtbaar achter de bovenkant van de gordijnen (in dit voorbeeld vastgezette plooien).

Roedesystemen

Een brede zoom aan de bovenkant van het gordijn vormt een tunnel waar een roede doorheen gestoken wordt. Dit ophangsysteem past bij ruim geplooide gordijnen en omdat het lastig kan zijn om de gordijnen te openen en te sluiten, is het vooral geschikt voor dunne gordijnen.

Ophangsysteem met roede en ringen

Dit systeem is populair vanwege het informele karakter en het gemak waarmee de gordijnen open en dicht getrokken kunnen worden. Dit ophangsysteem is geschikt voor vrijwel elk type stof.

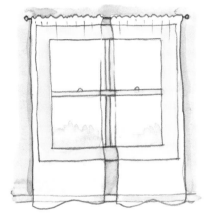

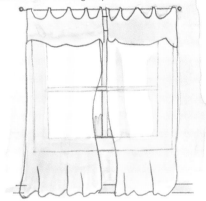

Vitrage

Stoffen zoals voile, organza en dun linnen geven een transparante sfeer. Ze houden al te fel zonlicht tegen, terwijl het uitzicht naar buiten gehandhaafd blijft, maar ze geven 's avonds niet veel privacy.

Ongevoerde gordijnen

Middelzware stoffen zoals linnen of katoen hoeven niet per se gevoerd te worden. Ongevoerde katoenen en linnen gordijnen geven privacy, maar laten ook nog wat licht door en zijn heel geschikt als je een informeel effect wilt.

Gevoerde gordijnen

Zwaardere stoffen zoals ruwe zijde en fluweel worden gewoonlijk gevoerd om licht en geluid te weren. Reken op een overlapping van 7,5 cm in het midden om een doorlopend geheel voor het raam te creëren.

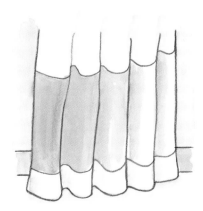

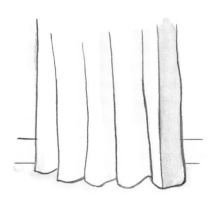

Randversiering

Kant-en-klaar gekochte gordijnen kunnen worden opgesierd met een opvallende opgenaaide rand. Zo'n rand kan bestaan uit een contrasterende effen of bedrukte stof en mag niet breder zijn dan een derde van de totale lengte van het gordijn.

Contrasterende voering

Een voering van bedrukte stof of stof in een afwijkende kleur geeft effen gordijnen iets zwierigs. Het is niet nodig om het hele gordijn te voeren; met een baan van 45 cm breed langs de binnenste rand lijkt het hele gordijn gevoerd.

Contrasterende biezen

Een strook stof in een kleur die afwijkt van die van het gordijn langs de buitenste banen zorgt voor een simpele maar originele afwerking en een kleurig accent.

Jaloezieën, rolgordijnen en luiken

Deze gestroomlijnde raamdecoraties, meestal informeler dan gordijnen, kunnen in combinatie met overgordijnen zorgen voor maximale lichtregulatie en privacy.

Soms zijn zelfs de meest simpele gordijnen niet geschikt voor een bepaalde ruimte of een raam. Dat kan een kwestie van bouwtechnische eigenschappen zijn – een in het raam ingebouwde bank of een radiator bijvoorbeeld – of het gevolg van praktische overwegingen of persoonlijke voorkeur. In kinderkamers zijn verduisteringsrolgordijnen bijvoorbeeld erg handig in verband met vroege bedtijden (neem een model zonder trekkoord, dat is veiliger voor kinderen en huisdieren). Stilistisch gezien geldt: hoe nonchalanter de ruimte, hoe geschikter voor jaloezieën of louvredeurtjes als raambekleding.

In het woud van jaloezieën, rolgordijnen en louvredeurtjes kun je uitgaan van de stijl en het materiaal die het best passen bij de inrichting van de kamer en van de gewenste hoeveelheid licht en privacy (bepaal met behulp van het kader en de bladzijde hiernaast wat je wensen zijn). Ter verzachting van de harde lijnen in een ruimte of ter wille van de harmonie kan textiel gewenst zijn; gebruik jaloezieën of louvredeurtjes als architectonisch interessant element in een wat saaie kamer. Natuurlijke materialen als raamdecoratie – gras, riet, lucifershoutjes of bamboe – passen zelfs in een chique kamer en zorgen onmiddellijk voor een levendig contrast. Ze voegen textuur toe, zowel door het materiaal als door de lichtpatronen die ze bewerkstelligen. Verticale lamellen van uiteenlopende weefsels en andere materialen vormen de nieuwste trend; ze zorgen niet alleen voor privacy, maar houden ook zeer effectief zonlicht tegen.

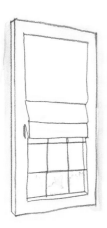

Vouwgordijn

Vouwgordijnen of Roman shades worden op maat gemaakt en kunnen in of op het kozijn worden gemonteerd. Allerlei stoffen zijn geschikt voor dit type raambekleding, van dun linnen tot dik canvas.

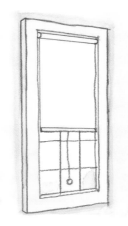

Rolgordijn

Het eenvoudigste type optrekbare ondoorlatende raambekleding. Rolgordijnen zijn kant-en-klaar verkrijgbaar in allerlei kleuren en dessins, maar kunnen ook op maat worden gemaakt in een stof die afgestemd is op de kleur van de muren of de meubelbekleding.

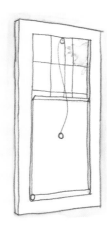

Omgekeerde rolgordijnen

Een populaire raambekleding in de stad. Omgekeerde rolgordijnen beschermen tegen inkijk en laten het bovenste deel van het raam vrij, zodat er voldoende licht binnenvalt. Ze zijn kant-en-klaar te koop of kunnen op maat worden gemaakt.

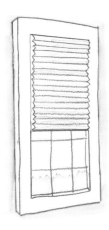

Plissé shades

Deze geplooide zonwering is gemaakt van materiaal (textiel of papier) en behoudt zijn plooien. Deze zonwering is lichter van structuur dan echte zonneschermen en laat wel licht door.

Jaloezieën

Deze klassieke zonwering blijft populair dankzij de veelzijdige toepassingsmogelijkheden. Jaloezieën verhinderen inkijk, en de hoeveelheid licht die ze doorlaten is perfect te regelen. Bovendien zorgen ze voor interessante patronen van licht en schaduw.

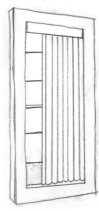

Verticale jaloezieën

Net als rolluiken glijden verticale lamellen van 8 cm breed langs een rail van de ene kant van het raam naar de andere. Ze vormen een uitstekende oplossing voor grote ramen en schuifdeuren en zijn in verschillende lengtes verkrijgbaar.

Rolluiken

Deze verticale panelen van 20-45 cm breed bestaan uit textiel of natuurlijke vezels en zijn heel geschikt voor ramen of glazen schuifpuien. Ze glijden langs een rail over elkaar heen als ze open worden geschoven.

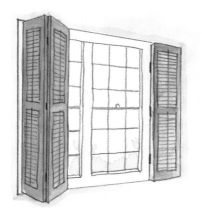

Louvredeurtjes

Deze uit latten bestaande luiken zijn handig omdat de hoeveelheid licht die ze doorlaten naar believen kan worden geregeld. Ze houden nooit al het licht buiten. Louvredeurtjes zijn van hout of kunststof en kunnen in het eerste geval gebeitst of geverfd worden.

Massieve luiken

Luiken van massief hout zijn in de stad prettig omdat ze straatgeluiden dempen, in gebieden met een koud klimaat omdat ze een isolerende werking hebben, en in kinderkamers omdat ze licht- en geluidwerend zijn.

Asymmetrische elegantie, *links*
Zelfs formele raamdecoraties zoals fluweel
en geborduurde vitrage kunnen iets zwierigs
krijgen als je ze op een verrassende, asymmetrische manier toepast. Hier zijn twee
fluwelen gordijnen naar één kant van het
raam getrokken en vastgezet. Een brede
baan vitrage op de achterste roede bedekt
het hele raam en filtert het binnenvallende
daglicht.

Opvallend door zijn eenvoud, *rechts*
Als je een lichte, transparante kamer hebt
en die open sfeer wilt behouden, zijn
vouwgordijnen een prima oplossing. Ze
staan verzorgd en reguleren de hoeveelheid
binnenvallend licht, maar ze hebben iets
informeels en laten kozijnen en muur vrij.
Vouwgordijnen zijn verkrijgbaar in allerlei
materialen en dessins, zowel kant-en-klaar
als op maat gemaakt en afgestemd op
muurkleur of meubelbekleding. Hier vormen brede strepen een pittig accent in de
verder witte ruimte.

Hoe we een ruimte ervaren – als rustig, romantisch, gastvrij of koel – hangt voor een belangrijk deel af van de verlichting. Het is handig als je weet hebt van de drie voornaamste soorten verlichting – omgevingslicht, werklicht en accentverlichting – zodat je ze optimaal kunt toepassen. Omgevingslicht is overdag meestal het natuurlijke licht; 's avonds is het afkomstig van een vast lichtpunt in het midden van de ruimte, een aantal lampen of een aantal ingebouwde spotjes die de hele kamer gelijkmatig ver-

WERKEN MET
LICHT

LAMPLICHT VERLENGT ONZE DAGEN, ZORGT DAT WE BETER ZIEN EN BEÏNVLOEDT ONZE STEMMING. AL DIE EFFECTEN WORDEN NIET DOOR ÉÉN ENKELE LICHTBRON TEWEEGGEBRACHT, DUS ZORG VOOR EEN EVENWICHTIGE LICHTSPREIDING.

lichten. Werklicht is, zoals het woord al aangeeft, licht dat bedoeld is om speciale activiteiten bij te lichten. Accentverlichting vormt de opsmuk van een kamer; spotjes, kaarsen en schilderijlampjes zorgen voor extra verlichting van een deel van de ruimte. Maar alle lichtpunten dragen bij aan de sfeer van een ruimte. Een leeslamp met een ondoorschijnende kap werpt helder licht op tafel, richt de aandacht op een prominent voorwerp en dient zowel als accentverlichting als om bij te werken. Ingebouwde plafondverlichting kan bestaan uit gloeilampen of uit halogeenspotjes die de aandacht vestigen op een bouwkundig detail, een kunstwerk of een boekenkast. Een kleine kroonluchter kan bijdragen aan het omgevingslicht in een ruimte en dient tegelijkertijd als interessante blikvanger. Combineer functie en stijl voor een maximaal effect.

Van dag naar avond

Licht is nooit hetzelfde. Het wisselt per seconde, en verandert daarmee ook ons interieur en onze gemoedstoestand. Maak iets bijzonders van de avond door je eigen lichteffecten.

Een ruimte die overdag helder en open is, kan 's avonds met de eenvoudige bediening van een lichtschakelaar een intiemer en meer besloten karakter krijgen. Het ligt in onze aard dat we worden aangetrokken door licht als het buiten donker is en kamers schemerig worden bij zonsondergang. 's Winters schuiven we rond de kachel voor licht en warmte. Maar ook 's zomers genieten we met gasten van flakkerende vlammetjes in de vorm van kaarsen. Benut een zithoek rond een open haard optimaal en zet kaarsen of waxinelichtjes op tafel, of maak de avond extra feestelijk met een verzameling gotische kaarsen op de schoorsteen. Kaarslicht en vuur staan bekend als 'levend licht' en dat heeft een speciale aantrekkingskracht omdat het beweegt. Ondersteun het bekoorlijke kaarslicht met een getemperde omgevingsverlichting voor een betere lichtbalans in de kamer en om ongelukken te voorkomen als mensen gaan rondlopen.

Deze open woonruimte, rechts en bladzijde hiernaast, krijgt overdag voldoende licht via een dakraam en grote, van vloer tot plafond reikende ramen. 's Avonds zorgen een grote staande lamp en ingebouwde spotjes boven de schouw voor aangename verlichting; waxinelichtjes op reflecterende oppervlakken verhogen de gezelligheid.

ZO DOE JE DAT: DE KLEURSCHAKERING VAN LICHT

Om een aangename verlichting in je huis te creëren is het belangrijk dat je weet dat verschillende soorten gloeilampen verschillend licht geven. Lampen die een warmer licht verspreiden, versterken de kleur van de huid, waardoor je gasten letterlijk in een beter licht komen te staan. Wit licht is meer geschikt om bij te werken of te lezen en als spot op een kunstvoorwerp. Halogeenlampen benaderen het spectrum van zonlicht. De kleurschakering van licht heeft vooral veel effect op geverfde muren, dus is het belangrijk om kleurstalen van muurverf ook bij lamplicht te bekijken, vooral als het om zitkamers of slaapkamers gaat, die juist 's avonds vaak in gebruik zijn.

■ LICHT VAN GLOEILAMPEN is warm en flatteert de huid. De hoeveelheid licht is eenvoudig te regelen met dimschakelaars of drietrapsschakelaars en daarom zijn gloeilampen zowel voor omgevingsverlichting als voor lees- of bureaulamp of accentverlichting te gebruiken.

■ HALOGEENLAMPEN produceren het witste kunstlicht en hebben geen effect op de kleur van meubels of kunstvoorwerpen. De beste keus voor werkverlichting.

■ FLUORESCENTIELAMPEN (tl-buizen) hadden een slechte naam, maar zijn de laatste tijd sterk verbeterd en geven licht dat de kleur van daglicht benadert. Tl-lampen vormen na spaarlampen de meest energiezuinige vorm van verlichting en zijn zowel in buisvorm als in de vorm van gloeilampen met schroefdraad verkrijgbaar.

Lampen

De rol van lampen voor een gelijkmatige verlichting van een ruimte is essentieel omdat ze overal neergezet kunnen worden ter aanvulling van vaste lichtpunten.

Het prettigst zijn ruimtes die gelijkmatig verlicht worden. In het ideale geval bevinden de verschillende lichtbronnen in een ruimte zich op verschillende hoogtes. Omgevingslicht komt meestal van het plafond, tafellampen en staande lampen zorgen voor lichtplekken in het midden van de ruimte en dragen bij aan de spreiding van licht, accentverlichting is meestal rechtstreeks op een wand, schoorsteen of ander bouwtechnisch detail gericht, of belicht een schilderij of beeldhouwwerk. Ook de kap van een lamp is van invloed op een harmonieus verlichtingsplan. Een ondoorschijnende of half-doorschijnende kap is niet alleen heel stijlvol, maar

ook het meest geschikt om bij te lezen omdat al het licht op boek of krant valt. Voor een zithoek is het prettig als de lampen wat meer diffuus licht geven en dat kan op verschillende manieren worden bereikt. Een doorschijnende perkamenten kap geeft een zachtgouden gloed; een zijden, gevoerde kap geeft een bijzonder zacht, flatteus licht en schept een intieme sfeer.

De lampen in een ruimte hoeven niet identiek te zijn, maar moeten wel bij elkaar passen. Met kappen in dezelfde kleur vormt een aantal verschillende lampen toch een geheel. Als je wilt dat de aandacht uitgaat naar een uitzonderlijk mooie lamp, kies je onopvallende armaturen voor de rest van de kamer, bijvoorbeeld een slanke halogeenlamp die vrijwel wegvalt. Soms kan een lamp met een grote, opvallende kap midden in de kamer een visuele barrière vormen, terwijl een lamp met een slank profiel een ruimte juist transparanter maakt.

Werklicht

Een bureaulamp waarvan je het statief in een aantal standen kunt buigen zodat je het licht precies op je werkplek kunt richten is onmisbaar in een werkruimte. In de ideale stand bevindt de onderkant van de lampenkap zich op ooghoogte of net iets daaronder. Kijk voor andere bureaulampen hieronder.

Bedlamp

De aanbevolen hoogte van een bedlamp is 51 cm vanaf het hoofdkussen tot de onderkant van de kap. Een tamelijk ondoorzichtige kap zorgt ervoor dat het meeste licht op je boek valt. Kijk voor andere mogelijkheden hieronder.

Staande lamp

Het licht van een staande lamp moet ongehinderd over je schouder kunnen vallen. Voor lampen naast een stoel moet de afstand van de vloer tot de onderkant van de kap 102-107 cm bedragen, dat wil zeggen dat het licht ongeveer op ooghoogte komt. Kijk hieronder voor een ander type staande lamp.

Ouderwetse bureaulamp

Op een klein bureau vormt een lamp met een gebogen arm en een metalen kap een stijlvol alternatief voor een bureaulamp met een verstelbare arm. Zulke lampen verspreiden het licht over een veel kleiner oppervlak en moeten daarom gecombineerd worden met voldoende omgevingsverlichting.

Bedlamp met draaibare arm, bevestigd aan de muur

Een populair alternatief voor een staande bedlamp is een draaibare muurlamp waarmee je het licht kunt richten en die geen ruimte inneemt op het nachtkastje. De meeste van deze lampen hebben geen los snoer en moeten dus op de juiste plek worden bevestigd.

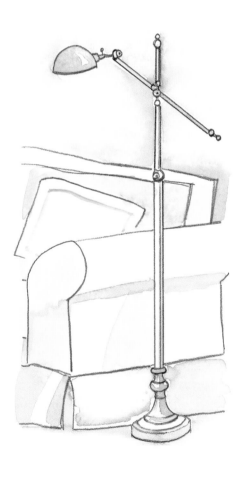

Tafellamp

Bij een tafellamp moet de onderkant van de kap zich ongeveer 38 cm boven het werkblad bevinden om er goed bij te kunnen lezen. Een doorschijnende kap voorkomt dat de lamp in je ogen schijnt en draagt bij aan de sfeerverlichting van een ruimte, terwijl er toch voldoende werklicht overblijft.

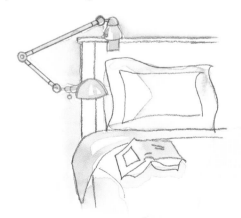

Verstelbare lamp met klemmechanisme

Een verstelbare lamp die op het hoofdeinde van het bed of een nachtkastje kan worden geklemd, vormt een praktische en stijlvolle bedlamp. De lamp is zowel horizontaal als verticaal verstelbaar en dat bepaalt ook de reikwijdte van het licht.

Staande lamp met draaibare arm

Een verstelbare lamp maakt het mogelijk om het licht op persoonlijke ooghoogte af te stellen. Door de slanke vorm nemen deze lampen een zeer bescheiden plaats in. Richt de kap op een muur of draai hem naar het plafond wanneer je alleen omgevingslicht wilt.

Een evenwichtige combinatie, *links*

Door verschillende gradaties licht krijgt een ruimte diepte. In dit voorbeeld zijn meerdere lichtbronnen zorgvuldig gecombineerd, van de cilindervormige hanglampen tot de verzameling waxinelichtjes op tafel en de kaarsen op de schouw. Naarmate het donkerder wordt en de gasten naar de zithoek verhuizen, wordt het effect versterkt. Licht trekt aandacht, dus zorg dat de kamer aantrekkelijk blijft voor het oog door lichtbronnen zodanig neer te zetten dat ze door spiegelende oppervlakken worden weerkaatst.

Warm en gastvrij, *rechts*

Een combinatie van lamp- en kaarslicht geeft deze kamer een gastvrije sfeer. De doorschijnende kap van een staande lamp geeft een warme gloed, terwijl de ondoorzichtige kap van de wandlamp gericht licht werpt op de muur en de schouw daaronder. Een waxinelichtje in een wit glaasje op de schouw vormt een zacht contrast met de wandlamp; kaarsen op de salontafel zorgen voor een zacht licht in het midden van de kamer.

Multifunctionele verlichting, *links*

Deze gecombineerde zit-/werkkamer maakt handig gebruik van een uitgekiend verlichtingsplan. Halogeenlampen met dimschakelaar die aan de muur zijn bevestigd kunnen omhoog of omlaag worden gedraaid om bij te dragen aan de omgevingsverlichting, respectievelijk de foto's aan de muur uit te lichten en bank en het bureau van licht te voorzien. De bureaulamp met knikarm kan zowel op de bank als aan het bureau worden gebruikt. Beide laten zien hoe werklicht ook bijdraagt aan de sfeerverlichting in een ruimte.

MATERIALEN

Vloer van massief koahout

laminaatvloer in walnoot

parket van gebeitst eiken

bamboevloer

Overzicht van materialen

Zowel voor de inrichting van een compleet huis als voor het opknappen van één ruimte is het kiezen van materialen een belangrijke eerste stap. De juiste materialen geven precies het gewenste resultaat, zijn praktisch in het gebruik en passen binnen je budget.

Vloerbedekking

Massief houten vloeren (zie boven) zijn er in allerlei varianten, van traditioneel rood eiken tot Braziliaans kersenhout en gerecycled grenen. Er hangt wel een prijskaartje aan: inheemse houtsoorten als eiken en esdoorn zijn het goedkoopst, zeldzame tropische houtsoorten het duurst. Hout kan in elke kleur worden geverfd of gebeitst en opnieuw worden geschuurd en gelakt als het er sleets begint uit te zien. Lichtere houtsoorten geven een informeel effect, terwijl donkere houtsoorten als noten of wengé een klassieke indruk maken. Vloerdelen zijn verkrijgbaar in een aantal breedtes, vanaf 6 centimeter. Ook zijn er vloerdelen van grenen, walnoot en andere houtsoorten van 51 centimeter breed verkrijgbaar (weliswaar tegen een forse meerprijs). Houten vloeren kunnen na het leggen ter plekke worden afgewerkt of al in de fabriek gelakt zijn (zie 'Het afwerken van houten vloeren', pagina 358).

Laminaat (zie boven) wekt de suggestie van een houten vloer, maar is in werkelijkheid een combinatie van vezelplaat en een dun laagje, dat beschermd wordt door een transparante plastic film. Het wordt dikwijls gebruikt in een bijkeuken of hal en ook wel in winkels en bedrijven. Laminaat is veel goedkoper dan een massief houten vloer; het wordt geproduceerd door een aantal bedrij-

ven en is op grote schaal verkrijgbaar bij doe-het-zelfcentra. Laminaatvloeren zijn gemakkelijk zelf te leggen. De modernere soorten zijn verkrijgbaar in een aantal houtkleuren en tot 25 jaar gegarandeerd. Anders dan een houten vloer kan laminaat niet opnieuw worden geschuurd en gelakt.

Parket (zie boven) is gemaakt van stroken hout die aan elkaar gelijmd zijn tot vloerdelen. Het is geschikt voor ruimtes waar een houten vloer niet mogelijk is, bijvoorbeeld in een kelder, waar het direct op het beton kan worden gelegd. De bovenlaag kan van een andere houtsoort zijn dan de rest van het vloerdeel, zodat de fabrikant een grote verscheidenheid aan parketsoorten kan aanbieden. Het meeste parket is al afgewerkt en gelakt en van sommige soorten is de bovenste laag dik genoeg om net als een massief houten vloer te worden geschuurd en opnieuw gelakt. Een bijkomend voordeel is dat parketstroken in breedtes tot 18 centimeter verkrijgbaar zijn. De prijs van de beste kwaliteit parket is vergelijkbaar met die van massief hout. Enkele merknamen zijn Armstrong, Eco Timber, Waverly, Max Windsor en Robbins.

Bamboe (zie boven) wordt steeds populairder vanwege de lichte, natuurlijke kleur en de mooie structuur. Bamboevloeren zijn ook milieuvriendelijk omdat ze gemaakt worden van een snelgroeiende plant die al na vier jaar kan worden geoogst. Na de kap worden de

bamboestengels in stroken gesneden en vervolgens tot vloerdelen geperst die even duurzaam zijn als eikenhout. Bamboevloeren kunnen zowel gelakt als ongelakt worden geleverd. Omdat het materiaal veel minder krimpt en uitzet dan hout, is het heel geschikt voor ruimtes met vloerverwarming. Bamboe kan in elke ruimte van het huis worden gebruikt, maar wees voorzichtig in de badkamer of andere natte ruimtes: net als massief hout kan bamboe door water aangetast worden.

Rubbervloeren worden dikwijls aangetroffen in commerciële of industriële ruimtes, maar lenen zich overal waar duurzaamheid en verend vermogen praktisch zijn, zoals in keukens, fitnessruimtes en speelkamers. Rubber is zowel kamerbreed als in de vorm van tegels verkrijgbaar. Variëteiten met een oppervlaktestructuur zijn minder slipgevaarlijk dan de gladde en worden veel gebruikt in moderne keukens omdat ze niet alleen mooi zijn, maar ook prettig aanvoelen onder de voeten. De keus is nogal beperkt. De kosten van een rubbervloer zijn vergelijkbaar met die van een goede kwaliteit vinyl en lager dan van massief hout of parket of veel vloeren van keramische of stenen plavuizen.

Kurkvloeren zijn weer terug van weggeweest, gedeeltelijk omdat kurk een natuurproduct is en afkomstig van een hernieuwbare grondstof, en omdat met moderne lakken het onderhoud ervan eenvoudiger is geworden. Kurk is verkrijgbaar in de vorm van tegels of vloerdelen, en geeft een verende vloer die warm en comfortabel aanvoelt onder de voeten. Na het leggen moet kurk worden gelakt en die behandeling moet regelmatig worden herhaald. Kurk is verkrijgbaar in verschillende diktes en de slijtvastheid is evenredig met de dikte. Net als hout kan kurk onder invloed van vocht krimpen en uitzetten,

dus is het niet zo geschikt voor een badkamer, washok of bijkeuken. Een kurkvloer in de keuken is mooi, maar op plekken waar veel wordt gelopen is een mat erg praktisch. De prijs van kurk is vergelijkbaar met die van middenklasse houtsoorten.

Linoleum als vloerbedekking is een ouderwets product, gemaakt van hernieuwbare grondstoffen: zaagsel, lijnolie en gemalen kalksteen. Het is duurzaam, veerkrachtig en comfortabel aan de voeten en verkrijgbaar in allerlei kleuren en dessins, zowel kamerbreed als in de vorm van tegels. Hoewel linoleum op grote schaal is vervangen door vinyl omdat dat minder onderhoud vraagt, hoeven de modernere soorten linoleum niet in de was te worden gezet. Linoleum is duurder dan vinyl en moet door de vakman worden gelegd.

Vinyl blijft een populaire, veerkrachtige vloerbedekking, gedeeltelijk omdat het materiaal nauwelijks onderhoud vergt. De dessins zijn tot in de kern in het materiaal aangebracht zodat ze niet wegslijten. De duurdere kwaliteiten hebben een toplaag – de slijtlaag – van bijzonder slijtvast materiaal zoals aluminiumoxide en zijn bestand tegen intensieve betreding. Prijzen lopen uiteen, maar de goedkopere variëteiten vormen een van de goedkoopste vormen van vloerbedekking.

Stenen plavuizen zijn er in een groot aantal variaties, waaronder kalksteen, leisteen, zeepsteen, marmer en graniet. Plavuizen vormen een duurzaam, mooi en natuurlijk materiaal voor een vloer die weinig onderhoud vergt. Door het compacte karakter zijn plavuizen bijzonder geschikt voor ruimtes met vloerverwarming, en blijven ze 's zomers koel aan de voeten. Alle plavuizen – met uitzondering van zeepsteen – moeten beschermd worden tegen vlekken en verkleuringen en die behandeling moet regelmatig worden herhaald. Tegels en keramische plavuizen

vloer van handgevormde gebakken tegels

verzonken spoelbak

staande wastafel

spoelbak met vlakke voorkant

kunnen niet op een verende ondervloer worden gelegd, dus als je een stenen vloer wilt kan het nodig zijn om de bestaande vloer te verstevigen. Plavuizen van natuursteen zijn – soms véél – duurder dan keramische tegels.

Keramische tegels zijn verkrijgbaar in allerlei kleuren, structuren en formaten – van kleine mozaïektegeltjes tot tegels van 45 × 45 centimeter – waardoor het een aantrekkelijk en goedkoper alternatief is voor plavuizen van natuursteen. Geglazuurde keramische tegels hoeven niet afgewerkt te worden en vergen geen ander onderhoud dan regelmatig vegen en dweilen. Tegels met reliëf en ongeglazuurde tegels zijn minder slipgevaarlijk dan gladde geglazuurde tegels. Voor natte ruimtes zoals een badkamer zijn speciale slipvaste tegels verkrijgbaar. Tegels absorberen warmte en zijn daardoor heel geschikt voor ruimtes met vloerverwarming.

Handgevormde klinkers van klei in karakteristieke aardekleuren zoals de Saltilloklinkers uit Mexico worden aan de lucht gedroogd en vervolgens bij lage temperatuur gebakken. Omdat ze handgevormd zijn, zijn ze ongelijkmatig van kleur, dikte en oppervlak. Omdat ze poreus zijn, moeten deze klinkers afgedicht worden en zijn ze ongeschikt voor natte ruimtes. Cementen vloertegels (zie boven) worden gemaakt door een mengsel van zand, water en specie in mallen te gieten. Ze hebben een groot isolerend vermogen.

Cementvloeren, die lange tijd voorbehouden waren voor garages of kelders, worden weer populair in andere ruimtes van het huis. Het materiaal is even slijtvast als keramische tegels en kan in een verrassend groot aantal dessins en kleuren worden geleverd. Cement is van nature poreus en moet dus met een laklaag worden beschermd tegen vlekken; het is leverbaar met ingelegde stukjes metaal, hout en zelfs schelpen. Net als een stenen

vloer of tegels is cement bijzonder geschikt voor ruimtes met vloerverwarming. Maar het is ook zwaar, dus houd daar rekening mee als je een dergelijke vloer overweegt. Cementvloeren variëren nogal in prijs, afhankelijk van de afwerking, maar zijn doorgaans veel goedkoper dan een stenen vloer.

Bakstenen vormen een buitengewoon duurzaam, kleurecht materiaal voor een vloer. Smalle klinkertjes die speciaal voor binnenshuis zijn bedoeld worden net als keramische tegels gelegd en zijn in een tiental kleuren verkrijgbaar. De oppervlaktestructuur geeft ze een uitstekende antislipwerking en ze kunnen in verschillende patronen worden gelegd. Bakstenen variëren in grootte, dus een brede voeg is aan te raden. Het aanbrengen van een waterdichte laklaag vergemakkelijkt het onderhoud. De prijs is te vergelijken met die van allerlei soorten keramische tegels.

Het afwerken van houten vloeren

Polyurethaanlak op basis van olie is een duurzame, slijtvaste afwerking van vloeren die een karakteristieke barnsteenkleur geeft. Het wordt vooral veel gebruikt op vloeren van lichtere houtsoorten. Lak op oliebasis is meestal goedkoper dan een watergedragen lak, maar heeft een langere droogtijd en de vluchtige organische componenten (voc's) die het bevat, zorgen voor een penetrante geur tijdens het drogen. Het goede nieuws is dat er minder laklagen nodig zijn.

Watergedragen urethaanlakken zijn kleurloos en geven daardoor niet de barnsteenkleur van lakken op basis van olie. Ze drogen sneller dan lakken op basis van olie en zijn reukloos. Om al die redenen wordt steeds meer gebruikgemaakt van watergedragen lakken, ook al zijn ze moeilijker te verwerken. Een nadeel is dat deze lakken duurder zijn en dat er meerdere lagen nodig zijn om dezelfde mate van bescherming te krijgen.

Voorgelakte vloeren worden in de fabriek van een beschermende laag voorzien, dus schuren en lakken of het aanbrengen van een beschermlaag na het leggen is niet nodig. Een groot aantal houtsoorten en parket wordt fabrieksmatig van een laklaag voorzien. Deze lak kan harde keramische deeltjes bevatten om de slijtvastheid – en de garantieperiode – te verlengen.

Spoelbakken en wastafels

Typen

Spoelbakken en wastafels zijn niet langer de sluitpost van de inrichting. Nieuwe vormen, materialen en kleuren maken ook van praktische spoelbakken een stijlvol element. Denk bij het kiezen van een spoelbak of wastafel aan drie hoofdpunten: materiaal, formaat en wijze van installeren. In een keuken is de standaardmaat 84 × 56 centimeter voor een dubbele spoelbak die in een 90 centimeter diep aanrecht past. Maar er zijn ook andere modellen verkrijgbaar, waaronder een extra diepe spoelbak (28 cm) om het afwassen van grote potten en pannen te vergemakkelijken.

Verzonken spoelbakken (zie boven) zitten in een aanrecht uit één stuk waardoor het goed schoon te houden is, omdat er zich geen vuil kan ophopen onder de gootsteenrand. Verzonken spoelbakken zijn het best te combineren met een aanrecht van hard materiaal zoals steen of granito, maar zijn ongeschikt voor een aanrecht van plastic laminaat omdat de randen van de uitsnede voor de spoelbak daarbij onbeschermd blijven.

Spoelbakken met een rand die op het aanrecht steunt kunnen met alle soorten bladen worden gecombineerd. Omdat zich onder de gootsteenrand water en etensresten kunnen verzamelen is deze constructie moeilijker schoon te houden dan een verzonken spoelbak.

Spoelbakken op gelijke hoogte als het aanrechtblad lijken op de hierboven genoemde modellen maar het verschil is dat de rand van de spoelbak op dezelfde hoogte zit als het aanrechtblad eromheen. Ze hebben hetzelfde voordeel als een verzonken spoelbak omdat er geen rand is waaronder zich water en voedselresten ophopen. Net als gootsteenbakken die op het aanrechtblad steunen moeten de randen worden gekit om lekkage te voorkomen.

Geïntegreerde spoelbakken maken deel uit van het aanrechtblad zelf. Ze kunnen gemaakt zijn van hard materiaal (zoals Corian van DuPont) en in het aanrechtblad zijn gelijmd, of van roestvrij staal en in een roestvrij stalen blad zijn gelast – zoals in restaurantkeukens.

Staande wastafels, klassiek in de badkamer (zie boven), nemen minder ruimte in dan een conventionele wastafel annex toilettafel, en dat is in een kleine badkamer een groot voordeel. Ze bieden niet veel plaats om iets neer te zetten, maar dat is op te lossen met een plankje boven de wastafel. De meeste, zo niet alle wastafels op een voet zijn van porselein, een niet-poreus materiaal dat ontstaat door verglaasde klei tot hoge temperaturen te verhitten.

Spoelbakken met een vlakke voorkant (zie boven), soms ook boerengootsteen genoemd, zijn er in allerlei materialen waaronder steen, vuurvaste klei en porselein op gietijzer. Allemaal hebben ze een brede voorkant die zichtbaar blijft in combinatie met speciale kastjes. Het geheel doet grappig ouderwets aan en lijkt op de ondiepe leistenen gootstenen die vroeger karakteristiek waren voor boerderijen. Spoelbakken met een vlakke voorkant staan erg mooi in een landelijke keuken.

roestvrijstalen aanrecht

granieten aanrechtblad

travertin aanrechtblad

aanrechtblad van essenhout

Materiaal voor spoelbakken en wastafels

Roestvrij staal is het populairst als materiaal voor spoelbakken. Het heeft een aantal voordelen: het absorbeert geen voedsel of bacteriën, roest niet, is hittebestendig en goed schoon te houden. Standaard roestvrijstalen aanrechten zijn gemaakt van 20- of 22-punts staal; duurdere kwaliteiten bestaan uit 18- of zelfs 16-punts staal. Geborstelde en gepolijste afwerking is mogelijk. De prijs van deze aanrechten varieert nogal.

Spoelbakken van vuurvaste of verglaasde klei zijn vervaardigd van duurzaam, bij hoge temperatuur gebakken keramisch materiaal. Ze zijn door en door homogeen, dus als er een scherfje afgestoten wordt komt er geen metaal bloot te liggen dat kan gaan roesten. Het gladde oppervlak lijkt op porselein maar spoelbakken van vuurvaste klei worden soms fraai gedecoreerd of beschilderd voordat ze de oven ingaan, waardoor ze hun unieke decoratieve eigenschappen krijgen. Standaard spoelbakken van vuurvaste klei zijn in prijs vergelijkbaar met andere soorten spoelbakken, hoewel gedecoreerde modellen tamelijk duur kunnen zijn.

Porselein met gietijzer is een beproefde combinatie die velen van ons zich misschien nog herinneren uit de keuken van onze grootmoeder. Met de nodige zorg is de porseleinen bovenlaag heel slijtvast, maar door agressieve reinigingsmiddelen kan hij worden aangetast. De gietijzeren kern houdt eenmaal opgewarmd de warmte goed vast en door hun grootte zijn deze spoelbakken erg stil als er water in stroomt of als ze voorzien zijn van een afvalvernietiger. Basismodellen met twee spoelbakken zijn relatief goedkoop. Spoelbakken van geëmailleerd staal zijn lichter in gewicht en minder duur, maar er springen zoals bekend veel sneller schilfers af dan bij porseleinen spoelbakken.

Koperen en bronzen spoelbakken behoren tot de duurste opties, maar deze roestvrije metalen zijn buitengewoon duurzaam en hebben een aantrekkelijk rustiek karakter. Koper is van beide het goedkoopst, maar moet regelmatig worden gepoetst om mooi te blijven. Brons krijgt allengs een donker patina.

Wasbekkens in de badkamer herinneren je misschien aan ouderwetse lampetstellen die op een ladekastje stonden. Een groot aantal van deze bekkens is bedoeld voor op een badkamertoilettafel, maar er zijn ook modellen verkrijgbaar die aan de muur worden bevestigd. Er is keus uit allerlei materialen, waaronder gehard glas, keramiek, koper, brons en steen. Wasbekkens kunnen een regelrechte blikvanger vormen in een badkamer. Omdat het bekken boven op de ondergrond staat, moet je rekening houden met de hoogte van de toilettafel waarop hij gemonteerd wordt. Een hoger wasbekken maakt het leven voor iedereen die een hekel heeft aan het gebogen over een wastafel staan prettiger, maar is niet praktisch voor kinderen. Wasbekkens kunnen aangesloten worden op muurkranen of extra lange kranen.

Keukenaanrechten

Aanrechtbladen van plastic laminaat zijn goedkoop en in allerlei kleuren en dessins verkrijgbaar. Het materiaal is minder hittebestendig dan andere opties en niet krasvast maar gaat verder lang mee, vergt praktisch geen onderhoud en is gemakkelijk schoon te houden. Laminaat is te koop in vellen die aangebracht kunnen worden op een ondergrond van multiplex, of als 'voorgevormd' aanrecht inclusief spatwand en een ronde voorkant dat direct geïnstalleerd kan worden. Een algemeen bezwaar van laminaat is de donkere streep als je tegen de zijkant aankijkt, maar die kan op verschillende manieren worden vermeden. Een daarvan is het gebruik

van tot in de kern gekleurd laminaat, zoals Formica's ColorCore. Een andere mogelijkheid is de installateur vragen om de randen af te werken met een profiel van hout of laminaat waardoor de naad onzichtbaar wordt.

Roestvrij staal en andere metalen kunnen verwerkt worden tot zeer duurzame, hittebestendige keukenwerkbladen. Roestvrij staal (zie boven) absorbeert niet en is gemakkelijk schoon te houden (een van de redenen waarom het gebruikt wordt in restaurantkeukens) en er zijn aanrechten met geïntegreerde spoelbakken van hetzelfde materiaal. De dikkere kwaliteiten zijn beter bestand tegen deuken. Roestvrij staal vertoont snel krassen, maar allengs geven al die kleine krasjes samen een aangenaam ogend patina. Roestvrij staal is een matig dure optie voor een aanrecht.

Keramische tegels voor een aanrecht is net als een tegelvloer zeer slijtvast, en de enorme keus aan kleuren, dessins en structuren biedt vrijwel onbeperkte mogelijkheden voor een persoonlijk ontwerp. Tegels zijn hittebestendig en tamelijk eenvoudig aan te brengen. Maar een aanrecht van tegels is hard en onverbiddelijk, en door de voegspecie wordt het oppervlak wat onregelmatig. Het gevolg is dat glazen gemakkelijk omvallen en op de harde tegels snel breken. Een betegeld aanrecht is bijzonder duurzaam, maar áls er eens een tegel beschadigd raakt, kan die worden vervangen zonder het hele aanrecht te vernieuwen. De prijs is afhankelijk van het type tegel dat je kiest.

Natuurstenen aanrechten kunnen in de vorm van een naadloos werkblad of als losse tegels worden geïnstalleerd. Natuursteen is verkrijgbaar in allerlei schitterende kleuren, van donker gevlekt graniet (zie boven) en grijze zeepsteen tot wit marmer en licht gespikkeld kalksteen (zie boven). Meestal is natuursteen bijzonder duurzaam en hittebestendig, maar net als tegels kan het hard zijn voor breekbaar

glaswerk. De meeste natuurstenen aanrechten moeten worden gelakt om vlekken te voorkomen (uitgezonderd zeepsteen). Kalksteen en lichtgekleurd marmer verliezen hun maagdelijke karakter zelfs na lakken en gaan allengs vlekken vertonen. Probeer een stenen aanrecht te vinden dat al enkele jaren ligt en vergelijk dat met wat je in de showroom ziet. Steen is een tamelijk kostbare optie.

Hout voor een aanrecht is in veel huizen vervangen door allerlei nieuwere materialen die minder onderhoudsintensief zijn. Toch blijft het een van nature warm en aantrekkelijk materiaal dat tegen water kan worden beschermd met een lak. Een massief werkblad van suikerahorn (zie boven) is populair, maar er zijn aanrechten van allerlei houtsoorten. De prijs varieert naargelang de houtsoort, maar het kan voordelig zijn.

Aanrechtbladen van solid surface zijn praktisch: gemakkelijk schoon te houden, eenvoudig te repareren en in allerlei kleuren en dessins verkrijgbaar. Ze kunnen ook worden gecombineerd met een geïntegreerde spoelbak van hetzelfde materiaal. De kans op breuk van glaswerk en serviesgoed is veel kleiner dan bij een stenen aanrecht en het materiaal is nauwelijks of niet gevoelig voor vlekken. (*Solid surface* is een duurzaam oppervlaktemateriaal dat bestaat uit natuurlijke mineralen en pigmenten, vert.) Het is vooral bekend onder de merknaam Corian (van de firma DuPont), maar wordt ook door een aantal andere firma's geleverd. Deze aanrechten vallen in de gemiddelde prijscategorie.

Granito is op dit moment erg populair voor keukenwerkbladen. Omdat het in praktisch elke vorm en dikte kan worden geleverd en de keus in inlegwerk vrijwel onbeperkt is, biedt het talloze mogelijkheden. Het kan ter plekke worden gegoten in de werkplaats van een leverancier en dan als een stenen werkblad worden gemonteerd. Net zoals te-

kastjes met voorframe

frameloze kastjes

laminaatkastjes

kastjes van kersenhout

gels en natuursteen is granito een glashard oppervlak en gaat het vlekken vertonen als het niet van een beschermende laag wordt voorzien. Granito is vrij duur.

Composietmateriaal van steen zoals Silestone en Zodiac ia een combinatie van voornamelijk echte steen en een harsachtig bindmiddel en pigmenten voor de kleur. Het materiaal is uniformer en meer voorspelbaar dan natuursteen en iets minder duur. Kwartscomposietmateriaal is bijzonder duurzaam en anders dan echt steen absorbeert het geen vlekken. Aanrechten van composietmateriaal vergen weinig onderhoud.

Kastjes voor keuken en badkamer

Verschillende typen kastjes

Keuken- en badkamerkastjes zijn verkrijgbaar in allerlei stijlen en prijzen. Wat je ook zoekt, imitatieantiek, gemakkelijk schoon te houden laminaat of echt hout, je vindt het gegarandeerd. In de goedkoopste series kastjes – in de keukenbranche aangeduid als 'courant' – is de keus aan afwerking, materiaal en afzonderlijke elementen het kleinst. Bij de semimaatwerkkastjes is de keus in de afwerking groter, en zijn materiaal en constructie degelijker (massief houten laden met zwaluwstaartverbinding bijvoorbeeld in plaats van hardboard). Zowel bij de courante als bij de semimaatwerkkastjes neemt het formaat telkens met 7,5 centimeter toe, zodat er vulstrips nodig zijn in ruimtes met afwijkende maten. Helemaal bovenaan staan de volledig op maat gemaakte kastjes die in vrijwel elke grootte en van bijna elk materiaal kunnen worden geleverd. Omdat deze kastjes op bestelling worden gemaakt, hebben ze een behoorlijke levertijd en zijn ze meestal nogal duur.

Kastjes met voorframe (zie boven) zien er traditioneel uit dankzij een houten frame aan de voorkant waarin openingen zijn uitgespaard voor laden en kastdeurtjes. Afhankelijk van je wensen kunnen kastjes met voorframe worden besteld met ingezonken of overstekende deurtjes en laden en met zichtbare of onzichtbare scharnieren. De kastjes zijn verkrijgbaar in allerlei natuurlijke houtsoorten, waaronder kersenhout, eiken en esdoorn, in een aantal kleuren gebeitst, geschilderd of gevernist.

Frameloze kastjes (zie boven) hebben een constructie die in het naoorlogse Europa is ontwikkeld en een modernere indruk geeft dan kastjes met een voorframe. De frontjes bedekken de voorkant van het kastenblok volledig en het enige dat je ziet, zijn de smalle spleten tussen deurtjes en laden. Frameloze kastjes hebben wat meer binnenruimte omdat er geen frame is en het hele aanzicht van de keuken is te veranderen door nieuwe frontjes te kopen.

Materiaal voor keukenkastjes

Melamine is een van de voordeligste materialen voor keuken- en badkamerkastjes. Het bestaat uit multiplex dat voorzien is van een laagje kunsthars. Hogedruklaminaat (zie boven), hetzelfde materiaal dat gebruikt wordt voor keukenaanrechten, wordt ook toegepast voor frontjes van kastjes. Laminaat is het meest duurzaam maar beide materialen zijn in een groot aantal kleuren verkrijgbaar en gemakkelijk schoon te houden omdat ze geen vlekken absorberen. Een nadeel, vooral van melamine, is dat het moeilijk te repareren is als het schilfert. Op laminaatdeuren kan de donkere streep langs naden en randen weggewerkt worden met pvc-profielen of door het gebruik van tot in de kern gekleurd laminaat.

Thermofoil deuren en lades zien eruit als geverfd hout, maar zijn gemaakt van plastic met een kern van vezelplaat. Omdat vezelplaat zo bedrieglijk goed gedecoreerd kan worden, kun je paneeldeurtjes of ladefronten krijgen die eruitzien als hout, maar uit eenvoudig schoon te houden en veel goedkoper materiaal bestaan. Een deur van Thermofoil heeft niet zo veel laagjes als een van hogedruklaminaat, waardoor het minder snel gaat wijken, maar Thermofoil is minder hittebestendig.

Houten kastjes hebben een karakteristieke, warme uitstraling die door geen enkel synthetisch materiaal kan worden geëvenaard. Massieve houtsoorten en fineersoorten als eiken, esdoorn, kersenhout (zie boven) en els worden door een groot aantal firma's geleverd en verwerkt tot duurzame, fraaie kastjes. Als je iets bijzonders wilt, kun je uit nog andere houtsoorten kiezen – douglasspar, blank eiken, antiek vuren en mahonie bijvoorbeeld. Maar bedenk wel: hoe exotischer de houtsoort, hoe hoger de prijs.

Voor het afwerken van houten kastjes bestaan allerlei mogelijkheden, van transparante kleurloze vernis tot gekleurde lak en verfijnde combinaties van vernis en beits. Hoewel hout in vrijwel elke kleur kan worden geverfd, kun je ook het natuurlijke karakter van hout benadrukken door te werken met textuur en kleur – denk aan de combinatie van licht esdoorn en donkerrood kersenhout. Behalve transparante lakken leveren fabrikanten de laatste jaren een breed aanbod aan soorten beits. Bij het meest moderne procedé wordt een tweede kleurlaag aangebracht, die vervolgens voor het grootste deel – maar net niet helemaal – weer weggeveegd wordt. Daardoor blijven er kleurrestanten achter in de hoekjes en langs profielen. Als je van een dergelijk 'verweerd' aanzien houdt, kies dan kastjes die kunstma-

tig zijn verouderd of gezandstraald in de fabriek. Deze behandeling imiteert het effect van jarenlange slijtage door gebruik, dat het goed doet in een gerenoveerde landelijke keuken.

Het opknappen van kastjes

Verven met een kwast of roller is een eenvoudige manier om oude keukenkastjes goedkoop op te knappen, zolang de constructie van de kastjes nog in orde is. De verflaag zal eerder slijten dan verf die in de fabriek op nieuwe kastjes wordt aangebracht, dus houd er rekening mee dat je geregeld kleine beschadigingen moet bijwerken (bewaar daarom altijd wat van de verf). Door tegelijkertijd scharnieren en handgrepen te vervangen is de metamorfose compleet.

Nieuwe frontjes van hout op deuren en laden monteren is een andere manier om een oude keuken in een nieuw jasje te steken. Dat is bijna altijd goedkoper dan oude kastjes volledig vervangen en het duurt meestal maar een paar dagen. Er zijn tal van houtsoorten verkrijgbaar. Gespecialiseerde firma's maken deuren en laden in hun werkplaats en fineren keukenblokken ter plekke in je keuken. Nieuw hang- en sluitwerk completeert de metamorfose.

Badkuipen

Porseleinglazuur op gietijzer geeft buitengewoon duurzame badkuipen. Badkuipen op pootjes (zie (pag. 361 boven) hebben een ouderwetse uitstraling, die tegenwoordig weer erg populair is. Ze zijn nieuw verkrijgbaar maar bij handelaars in sloopmaterialen zijn ook nog steeds oude exemplaren te vinden, een bewijs van het onverslijtbare karakter. Deze badkuipen ontlenen hun lange levensduur aan de manier waarop ze worden vervaardigd: een emailmengsel wordt op een gietijzeren mal verneveld en daarna wordt de

badkuip op pootjes

badkuip met betonnen ombouw

betegelde douchecel met glazen wand

doucheruimte met wanden van glasmozaïek

badkuip bij hoge temperatuur gebakken, waardoor beide materialen versmelten en een slijtvast, gemakkelijk te reinigen oppervlak vormen. Gebruik geen agressieve schuurmiddelen want die kunnen krassen maken. IJzeren badkuipen houden de warmte zeer goed vast zodat je lang van je warme bad kunt genieten.

Staalemail is een goedkoper alternatief voor porseleinglazuur en gietijzer. Badkuipen van dit materiaal zijn minder zwaar en dat veroorzaakt meer geruis als ze met stromend water worden gevuld. Ook houden ze de warmte minder goed vast dan ijzer. Hoewel de levensduur van staalemail minder lang is dan die van gietijzer, hebben de duurdere kwaliteiten door de combinatie van een metaallegering en een composietmateriaal een langere levensduur en een betere isolatie.

Gelcoat als toplaag van badkuipen is een van de voordeligste oplossingen. Hierbij wordt een gladde toplaag van kunsthars op een mal verneveld terwijl de achterzijde verstevigd wordt met polyester. De dunne buitenlaag van een dergelijke badkuip is minder slijtvast dan andere materialen en door gebruik van agressieve schoonmaakmiddelen kan de toplaag worden beschadigd. Toch kan gelcoat een goede keus zijn voor badkamers die niet dagelijks worden gebruikt, zoals in een vakantiehuisje of logeerruimte.

Badkuipen van acrylaat zijn duurzamer en meer krasvast dan gelcoat kuipen en daarom ook duurder. De buitenste kleurlaag is dikker en dat verlengt de levensduur. Evenals gelcoat badkuipen worden kuipen van acrylaat verstevigd met een ander materiaal.

Met vernieuwing van de deklaag van een acrylaat badkuip bespaar je jezelf de moeite en de kosten van het volledig vervangen van een oude badkuip. Na het opmeten en bestellen van het materiaal duurt het vervangen

door een professionele monteur ongeveer een dag. Hoewel niet echt goedkoop, is het minder duur dan het inhuren van een installateur, het kopen van een nieuwe badkuip en wachten tot het werk klaar is.

Oude beschadigde en verkleurde badkuipen kunnen ter plekke van een nieuwe deklaag worden voorzien. Badkamerspecialisten reinigen het oppervlak, vullen krassen en beschadigingen en brengen een nieuwe toplaag aan. Verneveld acrylaat, dat ongeveer een dag nodig heeft om uit te harden, kan mat of glanzend worden geleverd. Professionele monteurs voeren deze reparatie uit. Het acrylaatoppervlak is weer maagdelijk wit en heeft een grotere plastische kwaliteit dan het originele email. Probeer of je stalen van de coating of een gerepareerde badkuip te zien kunt krijgen voordat je afspraken maakt.

Bijzondere badkuipen

Zweetbaden vormen een eeuwenoude traditie in Japan en worden terecht steeds populairder in de rest van de wereld. Bijna niets werkt zo ontspannend als aan het eind van de dag tot je kin in een warm bad verdwijnen. Japanse zweetbaden hebben een diepte van 51 tot 90 centimeter en zijn daarmee veel dieper dan de standaard badkuipen. Ze passen uitstekend in de tendens naar vrijstaande badkuipen in de moderne badkamer. Het kan soms lastig zijn om in een dergelijk hoog bad te stappen; misschien heb je een stevig trapje nodig. Een andere punt is dat een diepere badkuip meer water bevat en dus veel zwaarder is. Een badkuip van 81 centimeter diep bevat 227 tot 284 liter water, een behoorlijke belasting van zowel de vloer als een doorsnee warmwaterboiler.

In een bubbelbad of whirlpool wordt gebruikgemaakt van waterstralen die voor een massage zorgen waarvan de intensiteit kan worden afgestemd op de behoefte. Bubbel-

baden zijn aanzienlijk duurder dan een standaardbad, maar ze hebben een ontspannende werking aan het eind van de dag en sommige modellen zijn groot genoeg voor meerdere personen. Zeer grote modellen bevatten 568 of meer liter water en vergen een speciaal verstevigde vloer en een extra grote boiler.

Airjet badkuipen maken gebruik van luchtbellen in plaats van waterstralen om de bader een ontspannen gevoel te geven. Omdat bij deze baden het water niet door een inwendig buizenstelsel wordt rondgepompt, vergen ze minder onderhoud dan een whirlpool. Ze zijn ook minder duur dan de meest geavanceerde whirlpools.

Douches

Op maat gemaakte betegelde douches (zie boven) zijn er in een groot aantal variaties. Douchebakken in een bed van cement kunnen ter plaatse in elk formaat en elke vorm worden geïnstalleerd en er is keus uit een werkelijk onuitputtelijk aantal keramische tegels en plavuizen in allerlei kleuren, structuren en dessins. Betegelde doucheruimtes kunnen zo worden gemaakt dat er geen deur nodig is en ze kunnen verlicht worden met behulp van glazen bouwstenen. Verschillende typen keramische tegels en plavuizen zijn bruikbaar, maar leg bij voorkeur geen gladde tegels op de vloer want die zijn gevaarlijk als ze nat worden. Om uitglijden te voorkomen kunnen in doucheruimtes tegels van een kleiner formaat worden gelegd.

Combinaties van douche en bad zijn verkrijgbaar in fiberglas met een gelcoating of in acrylaat. Volledig gesloten acrylaat bad-douchecombinaties, compleet met geïntegreerd plafond, kunnen voorzien worden van een stoomdouche of een meerkoppige douche. Vanwege het grote formaat kunnen bad-douchecombinaties misschien niet door een hal

of gang getransporteerd worden tijdens een renovatie, maar er zijn ook modellen leverbaar die uit twee of drie onderdelen bestaan en die wel gemakkelijk naar een badkamer kunnen worden vervoerd.

Afzonderlijke douchecabines hebben minder ruimte nodig dan een combinatie van een bad met een douche. Er bestaan allerlei modellen, dessins en prijzen, waaronder cabines van acrylaat en fiberglas die in een hoek geplaatst kunnen worden en modellen met een ronde of hoekige voorkant. In grotere cabines is ruimte voor een polyester stoeltje, verstelbare douchekoppen en ingebouwde nissen.

Toiletpotten

Toiletpotten zijn verkrijgbaar in een groot aantal verschillende stijlen en prijsklassen, maar wettelijk is vastgesteld dat ze niet meer dan zes liter water per spoeling mogen gebruiken – veel minder dan de elf tot negentien liter die oudere toiletten gebruikten. Staande toiletpotten komen het meest voor, maar er zijn ook hangende modellen verkrijgbaar. Deze laten de badkamer groter lijken omdat de vloerruimte eronder vrij blijft en ze maken ook het schoonhouden eenvoudiger. Modellen van meer dan gemiddelde hoogte zijn handig voor rolstoelgebruikers of mensen die moeilijk kunnen gaan zitten en opstaan.

Er zijn twee basistypen toiletten. Het meest algemeen is het type dat onder invloed van de zwaartekracht werkt. De inhoud van een hooggeplaatste stortbak komt vrij als door bediening (trekker of knop) het bodemventiel omhooggaat en de uitstroomopening opengaat. De zwaartekracht en het gewicht van het water doen de rest.

In wc's met een drukventiel wordt gebruikgemaakt van de druk in de waterleiding of wordt het water onder druk in een cilindervormig reservoir opgeslagen. Bij sommige

teakhout

geverfd riet

aluminium met poedercoating

katoenen matelassé

modellen is het waterverbruik minder dan zes liter. In wc's met een drukventiel stroomt het water met meer kracht in de toiletpot, maar deze wc's zijn duurder en maken meer lawaai.

Toiletten met een losse spoelbak zijn er in allerlei soorten. Sommige modellen zijn speciaal ontworpen om in een hoek te worden geplaatst, en ook de ouderwetse wc's met een hooggeplaatste stortbak zijn nog steeds verkrijgbaar.

Een duoblok is meestal duurder en heeft een meer gestroomlijnd uiterlijk met minder spleten en naden dan een toilet met een losse spoelbak. Hij ziet er moderner uit en is gemakkelijker schoon te houden.

Tuinmeubels

Teak (zie boven) is het standaardmateriaal voor houten buitenmeubels: mooi om te zien, duurzaam en vrijwel onderhoudloos. De glanzend bruine kleur van deze tropische hardhoutsoort verkleurt allengs tot zilvergrijs, maar het oliehoudende hout hoeft slechts af en toe behandeld te worden om het fraaie matte uiterlijk te behouden.

Mahonie is een oude favoriet, vanwege de dieproodbruine kleur en de weerbestendigheid. Mahonie was lange tijd favoriet bij scheepsbouwers; het werd gebruikt voor de dekstoelen op de Titanic (een firma in Nantucket, Massachusetts, produceert replica's van die dekstoelen, gebaseerd op een exemplaar dat uit het in 1912 in de Noordelijke IJszee vergane schip werd gered). Het hout verweert tot een zachtgrijze kleur.

Andere tropische hardhoutsoorten zoals ipé, jarrah, balau en nyatoh zijn alternatieven voor het bekendere teak en mahonie. Ze zijn goedkoper dan de allerbeste kwaliteit teak maar even duurzaam, hard en weerbestendig. De roodbruine kleur vervaagt tot een aan-

trekkelijk zilvergrijs onder invloed van zon en regen, maar door het hout te behandelen met olie herstelt de oorspronkelijke kleur zich.

Ceder en roodhout zijn alternatieven voor tropisch hardhout. Deze beide Noord-Amerikaanse zachthoutsoorten hebben een lange geschiedenis als timmerhout voor gebruik buiten en zijn zeer goed bestand tegen rot en insecten. Het lichte, fijnkorrelige kernhout is het meest weerbestendig, maar de voorraad ervan neemt af. Geen van beide soorten zijn zo compact als tropisch hardhout, en daardoor hebben ze een minder duurzaam karakter. Anders dan tropische houtsoorten moeten ze van tijd tot tijd met een houtconserveringsmiddel worden behandeld.

Rieten meubels (zie boven) worden meestal gevlochten van soepele takken en stengels. Tegenwoordig worden synthetische vezels gebruikt als weerbestendig materiaal voor buitenmeubels. Anders dan echt rieten meubels worden ze gevlochten rond een frame van aluminium of plastic, zodat je ze zonder bezwaar buiten in de regen en zelfs sneeuw kunt laten staan. Het grote voordeel is dat ze net zo prettig zitten en dezelfde uitstraling hebben als meubels van echt riet.

Rotan, waterhyacint, zeegras en manillahennep zijn plantaardige vezels waarvan fraaie meubels worden gemaakt met een natuurlijke uitstraling. De vezels kunnen worden geverfd, maar zijn niet bedoeld om in weer en wind buiten te staan. Bescherm ze tegen zon en regen onder een afdak.

Gietijzer en smeedijzer vormen tijdloze materialen voor terras- en tuinmeubels en ze zullen niet omver worden geblazen door de wind. Metaal laat zich tot vrijwel elke vorm bewerken en dat biedt de mogelijkheid voor ontwerpen waarvoor andere materialen zich

niet lenen. IJzer roest bij contact met water en moet dus geregeld (opnieuw) worden geverfd om het te beschermen. Sommige firma's gebruiken een op plastic lijkende coating om roest te voorkomen.

Aluminium is tegenwoordig het meest gebruikte materiaal voor buitenmeubels en het heeft een groot voordeel boven ijzer: het roest niet. Maar zonder bescherming ontstaan er in aluminium putjes en gaat het oxideren onder invloed van het weer, dus koop meubels die van een beschermende poedercoating (zie boven) zijn voorzien. Buitenmeubels van aluminium zijn er in allerlei varianten. Het goedkoopst zijn meubels van holle buizen, die bovendien licht in gewicht zijn. Meubels van gegoten aluminium zijn zwaarder, steviger en verkrijgbaar in allerlei stijlen en afwerkingen, maar vooral de betere kwaliteitsmeubelen kunnen erg duur zijn.

Plastic is goedkoop materiaal met een lange levensduur dat in allerlei vormen kan worden geperst. Beschermd tegen uv is plastic ongevoelig voor weersomstandigheden en het is in vrolijke kleuren leverbaar. Als je de voordelen van plastic wilt combineren met een wat traditionelere stijl, kan dat: er zijn meubels van gerecycled plastic dat eruitziet als geschilderd hout. *Adirondack*-stoelen en schommelstoelen maken deel uit van het aanbod.

Weerbestendige kussens en stoffen geven kleur en textuur aan metalen en houten meubels en maken een lange zondagmiddag in de tuin een stuk comfortabeler. Puur katoenen canvas dat ijlings naar binnen moest worden gehaald als het gaat regenen heeft plaatsgemaakt voor veel duurzamer synthetisch materiaal dat er fantastisch uitziet, niet verbleekt en beter schoon te houden is. Overigens is er ook weerbestendig canvas verkrijgbaar.

Stoffen

Canvas is een stevig materiaal dat meestal gebruikt wordt voor sportartikelen, zonneschermen of markiezen, en tenten. Het is geweven van katoen, linnen of hennep en heeft een sportieve, pretentieloze uitstraling. Het is zowel binnen als buiten bruikbaar voor bekleding en zitkussens en ideaal voor buitenmeubels; probeer canvas te vinden dat met teflon waterafstotend gemaakt is en niet verbleekt in de zon.

Chenille bestaat uit zijden, katoenen of synthetische vezels die tot pluchen draden worden verwerkt en een dik en luxe weefsel geven. De term is afgeleid van het Franse woord voor 'rups' en dit luxe, pluizige materiaal wordt gebruikt voor dekens, foulards en meubelstoffering.

Katoen is een lichtgewicht weefsel, bestaande uit gesponnen vezels van katoenpluis. Het ademt, is goed wasbaar en voor allerlei doeleinden te gebruiken. Katoen is het ideale materiaal voor beddengoed, meubelhoezen en raamdecoratie. Langvezelige of Egyptische katoen is het zachtst denkbare materiaal voor beddengoed, terwijl tegen de invloed van zon behandelde canvas en keper duurzaam materiaal voor buitenmeubels vormen. Katoen wordt dikwijls vermengd met linnen, wol, zijde of synthetische vezels.

Denim is stugge katoenen keperstof die afkomstig is uit Frankrijk ('de Nimes') en populair werd in de Verenigde Staten tijdens de Californische Gold Rush. De goudzoekers droegen werkbroeken van denim (jeans). Denim is uitstekend wasbaar en dus zeer geschikt als meubelbekleding in ruimtes waar vooral kinderen en huisdieren zijn, maar ook voor buitenmeubels. Hoe vaker het wordt gewassen, hoe zachter het materiaal gaat aanvoelen.

grof linnen

keperstof

sisaltapijt

kelim

Imitatiesuède ziet eruit en voelt aan als echt suède. Het bestaat uit microvezels en is door het duurzame karakter een zachte, wasbare bekledingsstof voor banken en stoelen met een luxe uitstraling.

Leer is bijzonder duurzaam als bekleding en wordt in de loop der jaren steeds soepeler en mooier. De oppervlaktestructuur, afmeting, egale kleur en zachtheid van de gelooide huid zijn kenmerkend voor leer van hoogwaardige kwaliteit. Zwart en bruin zijn de klassieke leerkleuren, maar in de fabriek wordt leer tegenwoordig in allerlei kleuren geverfd. Leren meubels passen zowel in een klassiek als in een modern interieur.

Linnen (zie boven) wordt geweven uit vezels van vlas. Het is twee keer zo sterk als katoen, ademt, en heeft van nature een onregelmatige structuur die door het gebruik zachter wordt. Linnen is populair als materiaal voor tafelkleden en servetten, gordijnen en meubelbekleding. Het wordt dikwijls vermengd met katoen en is dan eenvoudiger in het onderhoud. Tegenwoordig kan linnengoed ook in de wasmachine.

Matelassé (zie pag. 362 boven) is een dubbel geweven stof, meestal van katoen met motieven in reliëf die de indruk wekken van een doorgestikte of gewatteerde deken ('matelassé' is Frans voor 'gewatteerd'). Dit effect wordt bereikt door een speciale weeftechniek en niet door doorstikken. Beddengoed, kussens en foulards van matelassé roept in een ruimte een behaaglijke ouderwetse sfeer op.

Zijde is geweven uit de losgewikkelde cocons van de Japanse zijderups. Het is erg geliefd vanwege de prachtige glans en de gladde structuur en het is een prachtig materiaal voor gordijnen en kussenslopen.

Synthetische vezels als rayon, polyester, ny-

lon en acryl worden vermengd met allerlei natuurlijke vezels. Daardoor slijten die minder snel en zijn ze gemakkelijker schoon te maken.

Badstof, het klassieke materiaal voor handdoeken, is een katoenen weefsel met lusjes die het absorptievermogen vergroten. Omdat het goed wasbaar is, snel droogt en tegen vocht kan, is badstof ideaal als bekleding of kussenovertrek in badkamers en buitenruimtes.

Keperstof (zie boven) is een dicht weefsel van schuin geweven katoen. Denim en gabardine zijn voorbeelden van keperstof. Katoenen keper is ijzersterk, wasbaar en comfortabel, het kan tegen een stootje en is geschikt voor meubelhoezen of -bekleding, zowel binnen als buiten. Tegen de zon behandelde keperstoffen zijn het meest geschikt voor buiten.

Fluweel wordt traditioneel van wol, zijde of katoen geweven. De vleug bestaat uit rijen lusjes die doorgesneden worden en het zijn pluizige, op bont lijkende aanzien geven. Fluweel is een klassiek materiaal voor gordijnen en meubelbekleding en geeft een rijk en elegant cachet.

Wol is van nature sterk, warm en veerkrachtig. Het is uitstekend geschikt voor woningtextiel. Wollen vezels worden meestal gemengd met andere natuurlijke of synthetische vezels.

Vloerkleden

Abaca of manillahennep is een buitengewoon sterke vezel van een in de Filippijnen inheemse bananensoort. Abaca is niet verwant aan echte hennep, hoewel van beide materialen garens, geweven stoffen en vloerkleden worden gemaakt.

Kokosvezel is een natuurlijke vezel afkomstig van de buitenste schil van kokosnoten. De vezels worden gesponnen en machinaal tot matten geweven. Kokosmatten zijn ruw en worden beschouwd als de meest onverslijtbare matten van natuurlijke vezels. Kokosvezels vormen een goedkope vloerbedekking in bijvoorbeeld gang en hal, en worden op grote schaal verwerkt tot deurmatjes.

Katoengaren wordt geweven tot kleden die zacht aanvoelen en terugveren onder de voet en bovendien gemakkelijk wasbaar zijn. Katoenen kleden zijn er in allerlei varianten, van de Indiase dhurry's tot Amerikaanse ontwerpen als gevlochten matten en voddenkleedjes. Door het grote absorberende vermogen zijn katoenen matten ideaal voor in de badkamer.

Jute is afkomstig van een stevige houtige plant die in Azië inheems is. Tot kleden verwerkt heeft het de luxe uitstraling en een textuur als van wol. Jute wordt beschouwd als de zachtste mat van natuurlijke vezels, maar slijt in de praktijk sneller dan sisal of zeegras.

Papieren matten worden vervaardigd uit vezels die gemaakt worden van houtpulp. Ze zijn verrassend duurzaam en voelen zacht aan en ze worden in fraaie dessins geweven zodat ze eruitzien als matten van sisal of andere natuurlijke vezels. Het is een milieuvriendelijk materiaal omdat hout hergebruikt kan worden en biologisch afbreekbaar is.

Zeegras is een uit China afkomstige waterplant die op commerciële schaal wordt gekweekt en vezels levert die op stro lijken en zachter zijn dan kokos, sisal of jute. Het is van nature vuilafstotend en daardoor geschikt voor veelbelopen plaatsen. De subtiele groentinten van zeegras (die allengs verkleuren tot lichtbruin) maken een ruimte warmer

van sfeer en geven tegelijkertijd een buitengevoel.

Sisal (zie boven) is een elastische vezel uit de bladeren van de sisalplant die in Azië, Afrika en Midden-Amerika groeit. Sisalvezels worden verwerkt tot slijtvaste matten met een gelijkmatige, levendige textuur. Sisalmatten zijn tamelijk zacht en daardoor heel geschikt voor zitkamers en slaapkamers. Het duurzame karakter maakt ze ook geschikt voor gebruik in gang en hal.

Synthetische matten – machinaal geweven van vezels zoals nylon, rayon, polyester of acryl – zijn duurzaam, vuilafstotend en goedkoop. Polipropyleen is een op aardolie gebaseerd synthetisch materiaal dat tot opvallende dessins wordt verwerkt, zodat het eruitziet als natuurlijke sisal of wol. Polipropyleenmatten zijn gemakkelijk schoon te maken met water en daardoor heel praktisch in veelbelopen ruimtes zoals keuken en hal, maar ook buiten.

Wollen kleden hebben een warm, waterafstotend en duurzaam karakter. De meeste wollen tapijten zijn vermengd met synthetische vezels, gewoonlijk in een verhouding van tachtig procent wol en twintig procent nylon. Wollen garens worden van oudsher gebruikt voor het knopen van oosterse en Tibetaanse tapijten met ingewikkelde patronen, maar ook voor de Turkse en Afghaanse kelims (zie boven).

Register

Dankbetuiging

BELANGRIJKSTE FOTOGRAFEN

HOTZE EISMA, blz. 21, 44 (linksonder), 53 (midden rechts), 198-201, 206 (linksboven een rechts, rechtsonder), 208-217, 218 (linksboven, rechtsonder), 222-227, 229 (linksboven, onder), 230 (linksonder, rechtsonder), 232-235, 236, 237 (linksboven, rechtsboven, midden links, linksonder). © Hotze Eisma: 136 (linksonder), 142-143, 148-149, 153 (rechtsonder), 155, 160-161.

JIM FRANCO, blz. 2-6, 10-11, 14, 17, 42 (linksboven), 43, 46-47, 54-55 (midden), 55 (boven), 74, 75 (boven), 80-81, 96 (boven), 100 (rechtsboven), 108 (links- en rechtsboven), 110 (linksboven), 128, 136 (linksboven), 138-139, 162-163 (midden), 163-165, 189 (linksboven en midden), 220-221, 228, 268-269, 302-303, 328, 332 (onder), 333, 334-335, 354-355, 306, 318, 332 (boven), 356, 358 (2e en 3e van links), 360 (1e van links), 361 (1e, 3e en 4e van links).

MARK LUND, achterflap (linksonder); blz. 52 (onder), 53 (rechtsboven), 54, 180 (boven), 238-241, 246 (rechtsboven, linksonder, rechtsonder), 248-254, 258-259, 260 (onder), 260-261 (midden), 261 (boven), 262-267, 276 (rechtsboven), 282 (linksboven en rechtsboven, linksonder), 284-285, 288-289, 316 (boven), 322 (onder), 346, 348 (onder), 352 (onder).

STEFANO MASSEI, blz. 32 (linksboven), 42 (rechtsboven), 53 (midden links, links- en rechtsonder), 55 (onder), 68 (boven), 116, 117 (rechtsboven, linksonder), 136 (rechtsboven, rechtsonder), 144 (links- en rechtsboven, linksonder), 150-151, 152 (onder), 153 (rechtsboven), 154, 159, 162 (boven), 176-177, 180 (onder), 181 (rechtsonder), 182 (linksboven, rechtsonder), 189 (rechtsboven), 230 (rechtsboven), 260 (boven), 276 (links- en rechtsboven, linksonder), 278-281, 312 (onder), 327 (boven), 358 (4e van links), 359 (3e van links), 360 (2e van links).

DAVID MATHESON, voorflap (rechts), voorflap (onder), achterflap (linksboven, rechtsonder), achterflap (boven); blz. 16 (links), 19, 41 (linksonder), 62-67, 78-79, 83-95, 96 (onder), 97 (links- en rechtsboven, rechtsonder), 98 (linksboven), 99, 100 (linksboven, links- en rechtsonder), 102-107, 108 (onder), 109, 110 (rechtsboven, links- en rechtsonder), 112-115, 117 (linksboven, midden links, rechtsonder), 118, 120-127, 130, 140-141, 144 (rechtsonder), 146-147, 153 (linksboven), 156, 158, 162 (onder), 172 (linksboven), 190 (linksboven), 229 (rechtsboven), 230 (linksboven), 271, 282 (rechtsonder), 290-301, 308, 311, 315, 321, 324, 352 (boven), 359 (2e en 4e van links). © David Matheson: blz. 98 (midden links).

PRUE RUSCOE, voorflap (boven); blz. 8-9, 32 (rechtsboven), 41 (rechtsonder), 56 (rechtsboven, linksonder), 58 (onder), 167, 172 (rechtsboven, links- en rechtsonder), 174-175, 178-179, 181 (rechts- en linksboven, midden links en rechts), 182 (rechtsboven, linksonder), 184-188, 189 (onder), 190 (rechtsboven, links- en rechtsonder), 192-197, 206 (linksonder), 305, 313, 342, 344-345.

ALAN WILLIAMS, achterkant (rechtsboven), achterflap (onder); blz. 1, 13, 18, 20, 22 (links), 23-27, 32 (links- en rechtsonder), 43-38, 39 (boven), 40, 41 (rechtsboven, midden rechts en links), 42 (onder), 44 (rechts- en linksboven, rechtsonder), 48-51, 52 (boven), 53 (linksboven), 56 (linksboven, rechtsonder), 58 (boven, midden), 58-59, 60-61, 69 (midden rechts, rechtsonder), 70-73, 74-75 (midden), 75 (onder), 76-77, 97 (onder), 117 (midden rechts), 218 (rechtsboven, linksonder), 256-257, 312 (boven), 316, 317 (onder), 322 (boven), 323, 326, 327 (onder), 337, 338, 340, 348 (boven), 349, 350, 352, 358 (1e van links), 359 (1e van links).

OVERIGE FOTOGRAFEN:

MELANIE ACEVEDO voorflap (boven); blz. 16 (rechts), 286-287. DAN CLARK, blz. 41 (linksboven), 68 (onder), 69 (links- en rechtsboven, midden rechts, linksonder), 152 (boven), 237 (midden rechts), 361 (2e van links). © REED DAVIS: voorkant (linksboven, rechtsonder). © DANA GALLAGHER: blz. 98 (midden rechts). © ALEC HEMER: blz. 22 (rechts). © MAURA MCEVOY: blz. 181 (linksonder). © DAVID TSAY: blz. 39 (linksonder). © ANNA WILLIAMS: blz. 98 (link- en rechtsonder).

OVERIGE AFBEELDINGEN:

© ANN SACKS TILE: blz. 86 (onderste kader, rechtsboven, links- en rechtsonder). © ARMSTRONG HARDWOOD FLOORING BY HARTCO: blz. 357 (linksboven). © ARMSTRONG LAMINATE FLOORING: blz. 357 (2e van links). © ROBBINS FINE HARDWOOD FLOORINF FROM ARMSTRONG: blz. 357 (3e van links). © SCAVOLINI: blz. 360 (3e en 4e van links).

VOORNAAMSTE STILISTEN:

ANTHONY ALBERTUS, Voorkant (linksonder); blz. 16 (rechts), 21, 53 (midden rechts), 98 (midden rechts), 198-99, 201, 206 (links- en rechtsboven, rechtsonder), 208-218, 222-227, 229 (linksboven, onder), 230 (links- en rechtsonder), 232-235, 236-237, 286-287, 306, 318, 332 (boven), 356, 358 (2e en 3e van links), 360 (1e, 3e en 4e van links).

NADINE BUSH, Voorkant (rechtsboven), voorflap (onder), achterkant (rechtsonder); blz. 16 (links), 62 (onder)83, 89-95, 96 (onder), 97 (links- en rechtsboven, rechtsonder), 98 (linksboven), 99 (100 (linksboven, rechtsonder), 102-107, 110 (rechtsboven, links- en rechtsonder), 112-115, 117 (linksboven, midden links, rechtsonder), 118 (rechtsboven, linksonder), 122-123, 126-127, 130, 140-141, 144 (rechtsonder), 146-147, 153 (linksboven), 156, 158, 172 (linksboven), 308, 352 (boven), 359 (2e en 4e van links).

DEBORAH MCLEAN, blz. 24-25, 38 (boven), 39 (boven), 41 (midden links), 50-51, 58 (boven, midden), 58-59, 68 (boven), 70 (linksonder), 75 (onder), 116, 117 (linksonder), 144 (links- en rechtsboven, linksonder), 154, 159, 162 (boven), 180 (onder), 182 (linksboven, rechtsonder), 189 (rechtsboven), 230 (rechtsboven), 260 (boven), 261 (onder), 276 (linksboven), 278-281, 316 (onder), 327 (onder), 340, 358 (4e van links).

EDWARD PETERSON, voorflap (boven); blz. 8-9, 32 (rechtsboven), 41 (rechtsonder), 56 (rechtsboven, linksonder), 58 (onder), 98 (midden links, rechtsonder), 167, 172 (rechtsboven, linksonder), 174-175, 178-179, 181 (links- en rechtsboven, midden links en rechts), 182 (rechtsboven, linksonder), 184-188, 189 (onder), 190 (rechtsboven, links- en rechtsonder), 192-197, 206 (linksonder), 246 (linksboven), 305, 313, 342, 344-345.

ALISTAIR TURNBULL, blz. 42 (rechtsboven), 53 (midden links, rechtsonder), 55 (onder), 117 (rechtsboven), 136 (rechtsboven, rechtsonder), 150-151, 152 (onder), 153 (rechtsboven), 176-177, 181 (rechtsonder), 276 (rechtsboven, linksonder), 312 (onder), 327 (onder), 359 (3e van links).

MICHAEL WALTERS, achterkant (links- en rechtsboven, linksonder), achterflap (onder); blz. 1-6, 10-14, 17-20, 22 (rechts), 23, 27, 32 (links- en rechtsonder), 35-37, 38 (onder), 40, 41 (rechtsboven, midden rechts, linksonder), 42 (linksboven, onder), 44 (rechts- en linksboven, rechtsonder), 46-49, 52, 53 (links- en rechtsboven), 54, 54-55 (midden), 55 (boven), 56 (linksboven, rechtsonder), 60-61, 61, 62 (rechtsboven, rechtsonder), 64-67, 69 (midden rechts, rechtsonder), 70 (links- en rechtsboven), 72-74, 74-75 (midden), 75 (boven), 76-81, 96 (boven), 97 (linksonder), 100 (rechtsboven), 108 (links- en rechtsboven), 110 (linksboven), 117 (midden rechts), 118 (linksboven, rechtsonder), 120-121, 124-125, 127, 128, 136 (linksboven), 138-139, 162 (onder), 162-163 (midden), 163-165, 180 (boven), 189 (linksboven, midden), 190 (linksboven), 220-221, 228, 238-241, 246 (rechtsboven, links- en rechtsonder), 248-250, 251 (rechtsboven, midden, onder), 252-259, 260 (onder), 260-261 (midden), 261 (boven), 262-271, 276 (rechtsonder), 282, 284-285, 288-301, 302-303, 310, 312 (boven), 315, 316, 317 (boven), 320, 322-323, 325, 326, 328, 332 (onder), 333, 334-335, 337, 338, 346, 348-349, 350, 352 (onder), 353, 354-355, 358 (1e van links).

OVERIGE STILISTEN:

DAVID BENRUD, blz. 22 (links), JULIA BIRD , blz. 160-61. PHILIPPA BRAITHWAITE, blz. 98 (linksonder), HELEN CROWTHER, blz. 172 (rechtsonder), THEA GECK, blz. 32 (linksboven), 53 (linksonder), GREG LOWE, blz. 251 (linksboven), MARY MULCAHY, voorkant (linksboven, rechtsonder), CARLA ROLEY, blz. 44 (linksonder), NICOLE SILLAPERE, achterflap (boven), blz. 100 (linksboven), 108 (onder), 109, 229 (rechtsboven), 230 (linksboven).

ILLUSTRATORS:

SHANNON ABBEY, blz. 28, 84, 132, 168, 202, 242, 272, 341, 343, 351.

NATE PADAVICK, blz. 30-31, 39, 40, 86-87, 96, 99, 134-135, 155, 170-171, 204-205, 244-245, 274-275, 340, 342.

Medewerkers

FOTOGRAFE

HOTZE EISMA woont in Amsterdam en houdt zich al twintig jaar bezig met interieurfotografie. Zijn werk is verschenen in tal van tijdschriften, waaronder *Condé Nast Traveler*, V.S. en Europese uitgaven van *Elle Decoration* en *Vogue Australia*. Andere boeken op het gebied van wonen waarin zijn werk is gepubliceerd zijn: *Pottery Barn Bathrooms*, *Contemporary Chic* en *Simple Style*.

JIM FRANCO is een in New York woonachtige fotograaf. Tot zijn afnemers behoren *Travel + Leisure*, *Condé Nast Traveler* UK, *Real Simple*, *Domino Magazine* en *Starwood Hotels*.

MARK LUND woont in New York. Hij is geboren in Madison, Wisconsin en volgde een opleiding tot bouwkundig ingenieur maar bezocht ook de kunstacademie. Hij fotografeerde *Pottery Barn Workspaces* en zijn werk is in talrijke tijdschriften verschenen, waaronder *Country Gardens*, *InStyle*, *O at Home*, *Real Simple* en *Wired*.

STEFANO MASSEI komt oorspronkelijk uit Italië maar woont nu in San Francisco. Zijn werk is verschenen in talrijke woontijdschriften, waaronder *Abitare*, *Elle Decoration Italia* en *Parenting*, en daarnaast houdt hij zich bezig met reclamefotografie voor o.a. Arclinea, Fontana Arte, Gap, en Williams-Sonoma. Stefano heeft ook de foto's voor *Pottery Barn Storage & Display* geleverd.

DAVID MATHESON is freelance fotograaf in Sydney, Australië. Hij fotografeerde *Dining Spaces*, *Photos Style Recipes*, *Flowers Style Recipes* en *Cocktails Style Recipes* voor de reeks *Pottery Barn*-boeken. Zijn bijdragen verschijnen regelmatig in tijdschriften als *Vogue Entertaining & Travel*, en *Gourmet Traveler*, en hij leverde ook de foto's voor het boek Patio van Jamie Durie dat lovende kritieken kreeg.

PRUE RUSCOE volgde een opleiding tot fotograaf aan het Sydney College of the Arts en werkte als modefotograaf, voordat ze zich ontwikkelde tot een van de voornaamste interieurfotografen van Australië, de Verenigde Staten en Europa. Ze maakte foto's voor *Pottery Barn Bedrooms* en haar werk is in talrijke tijdschriften verschenen, waaronder *Elle Decoration*, *Marie Claire Lifestyle*, *Vogue Entertaining & Travel*, en *Vogue Living*. Prue woont in Sydney, Australië.

ALAN WILLIAMS heeft naam gemaakt als fotograaf van architectuur, interieurs en algemene lifestyle-onderwerpen waaronder reizen, eten en drinken. Tot zijn eerdere werk behoren *Pottery Barn Living Rooms*, *The Clour Design Sourcebook* en *Wine Tastes Wine Styles*. Hij is geboren in Wales maar woont en werkt tegenwoordig in Londen.

AUTEURS

KATHLEEN HACKETT ANTONSON heeft meer dan 40 kook- en lifestyleboeken op haar naam staan en schreef de tekst voor *Pottery Barn Dining Spaces*. Ze is voormalig hoofdredacteur van Martha Stewart Living Omnimedia.

MARTHA FAY is meer dan 20 jaar actief als freelance auteur en heeft twee boeken non-fictie op haar naam staan. Ze schrijft regelmatig over vormgeving en heeft meegewerkt aan *Pottery Barn Bedrooms, Storage & Display* en *Workspaces*.

SCOTT GIBSON is freelance auteur en redacteur. Hij werkte eerder als redacteur voor The Taunton Press, en schrijft voor een aantal tijdschriften waaronder *Fine Woodworking*, *Fine Homebuilding*, *Inspired House* en *Home*.

CAROLE NICKSIN heeft geschreven voor tijdschriften als *New York Times*, *InStyle Home*, *Shop Etc.*, *Vitals*, *Home* en *Martha Stewart Living*.

MARILYN ZELINSKY-SYARTO heeft boeken op het gebied van vormgeving en architectuur geredigeerd, schreef drie boeken over ontwikkelingen op het gebied van werkruimtes, en tientallen artikelen over binnenhuisarchitectuur en vormgeving.

WELDON OWEN DANKT:

Birdman, Inc.; Darrell Coughlan, coördinator marketing; Ken DellaPenta, die het register samenstelde; Wim de Vos, architect; Sherreme Gurtler, assistent stilis; Kathy Kaiser, persklaarmaker; Kass Kapsiak, cateraar, Deborah Kirk, productieadviseur; Jean Larette, adviseur binnenhuisarchitectuur; Sean MacDonald, coördinator marketing; Jim Pfaffman, adviseur architectuur; John Robbins, assistent fotografie; Peter Scott; Kimball Stone, coordinator marketing; Daniel Weiner, assistent fotografie.

Dank gaat ook uit naar Joyce Robertson en Lost Arts, San Francisco; het Pottery Barn productieteam en de staf van Pottery Barn, Corte Madera, Californië, voor het leveren van materiaal en afbeeldingen.

Ten slotte gaat onze dank uit naar iedereen die heeft bijgedragen aan het tot stand komen van deze Pottery Barn publicatie, Leonie Barrera, Joseph DeLeo, Elizabeth Dougherty, Elizabeth Lazich, Tim Lewis, Lisa Light, Sarah Lynch, Jackie Mancuso, Gina Risso, Mario Serafin, Allison Serrell, Forrest Stilin, Colin Wheatland, en Joshua Young. Speciale dank gaat uit naar Shawna Mullen voor haar werk in de aanloop naar de productie van dit boek.

POTTERY BARN

Pottery Barn is een van de belangrijkste Amerikaanse ketens op het gebied van meubels, accessoires en inspirerende ideeën.

Sinds het bedrijf in 1949 begon als een winkel in Beneden-Manhattan heeft het zijn karakteristieke combinatie van comfort en stijl over heel Amerika weten te verbreiden. Zie voor meer informatie www.potterybarn.com.